LA MIRADA DE LAS PLANTAS

EDMUNDO PAZ SOLDÁN

Almadía

Calle Alberto Bosch, 9
28014, Madrid, España

www.almadiaeditorial.com
@EdAlmadiaEs
@edalmadiaes

Primera edición: abril de 2022

isbn: 978-84-125205-0-7

Impreso y hecho en España.

A Lily

A mis padres, Raúl y Lucy

A Pachi, Marcelo, Roxana, Gabriel y Joseph

A los amigos de Virtudes

163:

¿cuándo aprenderemos
a valorar lo nuestro?

Madre naturaleza, vuélveme árbol.
MAN CÉSPED

229 Qué cosa más rara, ser hombre.

231 Estás bien mal,

¿Quién controla lo controlado
si el controlador está descontrolado?

¿Qué dirá el doctor Dunn cuando lo vea? ¿Se acordará de él? Rai no era de sus alumnos destacados en San Simón y había pasado tanto tiempo. La oferta del laboratorio: un piadoso salvavidas que permitió disimular su despido del Centro. No lo habrían contratado si no hubiera sido por el hecho providencial de que Dunn fue su maestro, algo que Rai mencionó con insistencia. Su entrevistador rescató un detalle fundamental del informe negativo del Centro sobre sus terapias alternativas: lo cuidadoso que era con las dosis (tuvieron la gentileza de no mencionar la verdadera razón de su despido). Todo es un problema de dosis, comentó Rai. *La diferencia entre la maravilla y el daño cerebral es un problema de dosis.* ¿Dónde había escuchado eso? Quizás del mismo Dunn, en clase.

El informe negativo del Centro: hacía cosas no permitidas con sus pacientes. Ellos confiaban en los métodos del nuevo psiquiatra: técnicas de hipnosis, teatro y fisioterapia con tal de relajarlos. Pobres locos, algunos inteligentes y otros con la edad mental de un niño.

Tantas veces lo mismo, pensó cuando lo despidieron: debía volver a utilizar los contactos de su madre para conseguir trabajo. Por suerte, sin embargo, ella no tuvo nada que ver con la llamada del laboratorio.

En el salón comedor las pisadas y las voces se amplifican y repiten, ecos sigilosos de la realidad. A la hora del desayuno una paraba rojiazul llamada Yimi camina entre las sillas haciendo gárgaras, partes del cuerpo sin plumas. Rai le ofrece un dedo, la patita, pero la paraba lo mira con suspicacia y no se le acerca. Yimi se trepa al reborde de una ventana y se arranca las plumas a picotazos; Rai intenta evitar que lo haga y la paraba lo ataca. Una de las enfermeras –los tacos desequilibrados y un respingo a manera de nariz– la tranquiliza y la sube a su hombro. Le pregunta a Rai si está bien.

–Por suerte no me agarró –Rai se frota los dedos–. Temperamental el bicho.

–Ha sufrido un montón, doctor. Más bien que está viva, hubiera visto cuando la trajeron, tenía un cortocircuito en la cabeza y no paraba de temblar. Estrés total. Los cazadores no les tienen piedad.

Rai trata de sonreírle a la paraba pero Yimi no se inmuta. La enfermera le extiende la mano: Yesenia, mucho gusto.

En una mesa larga: platos de sandía y papaya, jugos de copoazú, camu camu, cacharana. Una chiquilla sale de la cocina llevando platillos de huevo revuelto. Un ventilador tartamudo, incapaz de protegerlos de la humedad. Hormigas cabezonas en el azucarero. Rai filma al equipo del laboratorio con la cámara de su celular, hace *zoom* a los rostros, saca sonrisas y saludos. Una ingeniera informática bajita lo saluda agitando la mano y regresa a su *laptop*. Yesenia posa para él con la paraba en el hombro:

–Espero que nos haga famosos, doctor.

En una mesa están los representantes llegados de San Pablo para mostrarle al doctor Dunn los progresos en el diseño del juego. Hablan en portuñol, llevan chinelas y *jeans*, mueven la cabeza de arriba abajo, un ojo en el interlocutor y otro en el celular. El laboratorio es parte de Tupí VR, una compañía brasileña de realidad virtual que ofrece a los usuarios la posibilidad de tener experiencias psicotrópicas sin necesidad de probar alucinógenos: la utopía de drogarse sin drogarse, un delirio tecnológico detrás del delirio neurológico natural, piensa Rai. Uno se pone el casco y el buzo háptico, el usuario escoge si quiere viajar en ácido, hongos o, pronto, alita del cielo, y ya está. Las pruebas de alita del cielo con los voluntarios en el laboratorio intentan atrapar la lógica de la experiencia química, construir una taxonomía de imágenes producidas por la sustancia lisérgica para replicarla luego en un juego de realidad virtual.

La doctora Valeria Cosulich –asistente de Dunn– se sienta al lado de Rai y se asombra ante sus picaduras:

–Le dieron una buena bienvenida. Pero no se preocupe, la piel se acostumbra rápido. ¿Me está filmando? Por favor no, no soy fotogénica a estas horas.

–Un recuerdo de mi primer día en el trabajo, doctora.

–Está bien, solo un rato.

Se arregla los rizos que le caen sobre la frente y le agradece que haya aceptado formar parte del proyecto *La mirada de las plantas*.

–Queremos los ojos de la alita, es una planta mágica. Su mirada nos pierde y encuentra, una la prueba y es como mil terapias a la vez. Enciende la memoria, ayuda a enfrentarse a los traumas, incluso a aceptar la muerte. Supervisar a los voluntarios no será difícil. Solo hay que tener cuidado con los malos viajes.

–Pensé que todo era bueno con la plantita –Rai guarda el celular.

–Casi. La plantita toma lo que uno le da, y si no es bueno, ahí lo quiero ver.

Sánchez, el encargado de mantenimiento que lo recogió del aeropuerto, apoya en la mesa una manaza de venas hinchadas. Rai se fija en sus brazos velludos, el pelo que le brota del pecho y se exhibe por la parte superior de la camisa desabotonada, y piensa en el hombre lobo.

–Solo sé que sos de Cochabamba, Rai –Sánchez está boleando, le ofrece coca yungueña y él la rechaza–. Tu mamá es famosa, ¿no? La dueña del Miss Cochabamba...

–Fama de pueblo chico. Hace años que organiza esas vainas, ahora anda de capa caída. Las agencias de modelos la tumbaron. Ahora todas quieren ser Chicas Fit o *influencers* en Instagram.

Qué bueno hablar de su madre y no de él; a la gente le gusta llenar sus oídos y su lengua de las *misses.* Los concursos de belleza se deslizan a la irrelevancia, pero como no hay industria de telenovelas ni cine nacional las reinas son todavía *la* realeza; degradada, pero realeza al fin.

–Lanzó al estrellato a varias, ¿no? –insiste Sánchez–. Me gustaba la que aparecía casi calata en esa propaganda de cerveza. ¿Cómo era el estribillo tan pegajoso? "No te obsesiones con ella, tú también puedes tocar ese cuerpo"...

–Esa fue Señorita Bolivia en 2007.

–Qué memoria, te las debés conocer a todas. Las cosas que haría en tu lugar. Cuando vaya a Cocha me las tenés que presentar.

Alguien se para detrás de Rai. Rostros reverenciales de los demás. Rai se incorpora y le estrecha la mano. El doctor Dunn saca una pelusa a la altura del bolsillo de la camisa de Rai y le cierra el botón superior. Se lo ve guapo y bronceado; gracias a la piel brillosa aparenta juventud –¿*lifting*? ¿bótox? ¿*restylane*?–, pero las arrugas del cuello afirman que ha cruzado los cincuenta con holgura. Rai recuerda su cara de chiquillo imberbe ese primer día de clase en San Simón, cuando puso su maletín en la mesa y escribió en la pizarra hasta que una alumna de la primera fila preguntó a qué hora llegaba el profe. El tono de la respuesta no escondía su petulancia: *yo soy el catedrático.* Treinta y tres años, recién llegado al país después de una maestría en Alemania. Sus ojos solían ser grandes pero los párpados se le han caído y ahora son ranuras extraviadas en torno a una agresiva nariz aguileña. No hay rastros en el cuerpo de su tragedia: no ha cambiado mucho desde los días en que seducía a los alumnos con clases magistrales en las que predicaba su verdad, *el cerebro es la cosa más maleable que existe en el universo, está en nuestras manos formarlo o deformarlo* (hoy a Rai le queda claro que siempre se lo deforma).

Rai susurra un "buenos días", intimidado. Dunn hace señas de que lo acompañe al patio. La luz estalla en las paredes, el calor ahoga. Un grupo de voluntarios se ejercita bajo las órdenes de un ayudante. Árboles estirados en torno al patio riegan el suelo con sus flores rosadas, abiertas en forma de estrellas recién explotadas; sus raíces hacen contorsiones subterráneas, desnivelan el suelo y amenazan con salir a la superficie; de una rama cuelga un hormiguero. Las abejas zumban, los ciempiés se estiran bajo el sol. La alharaca naturaleza.

Nervioso, Rai no sabe qué decir. ¿Que siente mucho lo de sus hijos? Quizás no sea el momento. Mete las manos en los bolsillos. Los ojos legañosos, el sueño le llega en ramalazos.

–Debe tener muchas preguntas. Solo quiero recordarle que nada de lo que ha visto debe salir de aquí. Ha firmado documentos de confidencialidad estricta.

–Un honor estar en su presencia, doctor. Nunca olvido sus clases. A veces digo algo interesante y me parece estar repitiendo fraseos suyos.

No ha transcurrido un día y Rai ya se siente –quiere sentirse– parte de un adentro separado del resto. El laboratorio comienza a funcionar en él. Suficiente armar ese pensamiento para que vuelva a ver en el cielo deslavazado los pájaros negros y chillones que lo recibieron el día anterior al salir de la terminal de Villa Rosa; amenazan con migrar hacia Rio Vermelho pero luego dan la vuelta para posarse en el tejado metálico de los galpones.

–Espero que no haya hecho caso a tanto rumor nefasto, Raimundo. Nosotros minimizamos lo que nos dijeron en el Centro. No estaban contentos con sus terapias alternativas.

–Si habla con mis pacientes verá que es otro el cantar. Mejor dígame Rai nomás.

–Lo importante es que se animó a venir. Necesitamos de su experiencia, al igual que los voluntarios. No es fácil conseguir doctores dispuestos a trasladarse a la selva. Se sentirá cómodo aquí, Villa Rosa es chiquito pero acogedor. Y si se aburre, se toma una mototaxi y en diez minutos está en el Brasil.

–Feliz y agradecido de que hayan confiado en mí, doctor. Seguro que me encantará. Un cambio de aire siempre es bueno.

–Hay gente que no está de acuerdo con lo que hacemos, Rai. Dicen que no debemos usar las plantas medicinales indígenas con fines comerciales. Convertirlas en un juego. No se dan cuenta de que esto es serio. Recién vamos descubriendo el potencial de la realidad virtual. Nos engaña el cerebro pero nos permite seguir siendo nosotros mismos. Un nosotros complicado. Nos permite investigar quiénes somos de verdad en cuanto a cognición y percepción. Un sueño lúcido y compartido.

Sus palabras retrotraen a Rai a los días de clases en San Simón, el auditorio lleno a las siete de la mañana, su hora preferida de enseñanza, Dunn de *jeans* y sin afeitar, ajeno a los chismes sobre sus amoríos con estudiantes. Su tema obsesivo era el cerebro, la forma en que ayudaba a percibir la realidad a través de diversas estratagemas. No sorprendía su interés en la realidad virtual, de hecho Dunn solía decir que los seres humanos aprehendían la realidad como si fuera virtual. Eso sí, Rai no le conocía su lado práctico.

–Nos interesa revitalizar las culturas ancestrales. Tenemos un buen equipo con técnicos nacionales, al que se añade la experiencia brasileña. Tupí VR está haciendo cosas maravillosas, ya lo verá. ¿Ha oído hablar de la *encarnación virtual*? Claro que no, usted debe ser de los que cree que la realidad virtual es Oculus Go o una PlayStation.

Hace una pausa, se rasca la barbilla. Rai siente un ramalazo de satisfacción. Flotan las dudas pero es más fuerte el deseo de convertirse a la causa de Dunn.

Caminan entre charcos rumbo a un galpón desangelado, las paredes de venesta y los techos de calamina; transmite precariedad, como si hubiera sido construido ayer y pudiera desaparecer en dos días.

–Siento mucho lo de sus hijos –dice Rai.

Cuatro años atrás su mujer había desaparecido con su amante llevándose a los dos chicos. La policía les siguió el rastro hasta un pueblo a dos horas de la frontera, en territorio brasileño, y luego las huellas se perdieron.

–No hable de Camila y Manu como si se hubieran muerto. Están, en alguna parte.

–Por experiencia, tengo una buena idea de lo doloroso que es todo esto para usted.

–La imaginación es la primera realidad virtual –el doctor se ajusta el cinturón y limpia unas pelusas en la camisa de Rai–. Una proyección de luces y sombras en la caverna del cerebro. Entiendo que eso le dé una idea. Pero no es suficiente. El desafío es que usted se meta en mi piel. Que sienta lo que yo siento. *Que sea yo.* Para eso está la encarnación virtual. Hace cuatro años llegué aquí siguiendo la pista de mis hijos. Crucé la frontera en un auto alquilado. Almorcé en la casucha de un campesino y me emborraché con *cachaça.* En un pueblo a cuarenta minutos me quedé sin un real y dormí en un banco en la plaza. Quiero que sienta eso. Que duerma en esa casucha y en esa plaza. Que la *cachaça* lo maree.

Dunn abre los brazos como si quisiera encerrar entre ellos los árboles donde se estremecen los pájaros, las nubes borrachas de colores que navegan en el cielo. Venga, dice. Ingresan al galpón de ventanas tapiadas. Dunn se mueve con soltura en la oscuridad, Rai tarda en acostumbrarse. En una mesa descansan un casco con gafas y audífonos y un buzo de látex negro.

–Así que este es el corazón del asunto –dice Rai–. Alguna vez lo probé con amigos.

–Esos no sirven de nada. Están obsesionados con la visión, como si fuera nuestro único sentido, y no ofrecen mucha interacción.

–¿Y no es lo mismo para usted? El proyecto se llama *La mirada de las plantas...*

–Es solo para que la gente nos entienda más fácil. Este te permite sensaciones físicas y te hace cuestionar tu relación con tu propia mente. Mire cuán grande es el galpón, se podrá mover por todas partes. Más que realidad virtual se trata de encarnación virtual. No es que uno sea simplemente el mismo con un avatar. Es que uno de verdad se convierte en otro. Bueno, también puedes encarnarte en vos mismo, pero eso no es tan interesante.

Dunn le entrega el casco y le coloca los audífonos, cerciorándose de que estén bien ajustados. El buzo le cubre las manos y tiene cuarenta y seis puntos hápticos para abarcar un amplio rango de sensaciones, un sistema de control del clima que va de catorce a cuarenta grados, y uno de captura de movimientos que permite la opción de personalizar el avatar en el juego. Rai se cambia delante del doctor. Le queda apretado pero no se queja.

Al principio todo es oscuridad. Rai pestañea y mueve el cuello para adaptarse al nuevo contorno. Aparece el nombre del estudio, Tupí VR; un sonido con eco reverbera en sus oídos. Rai observa a alguien parecido al doctor Dunn frente a un espejo. Cerca de sus piernas y brazos vuelan mariposas de alas transparentes. Escucha, nítido, su aleteo. El verdadero doctor Dunn le pide que trate de agarrarlas. Rai mueve sus brazos y piernas, las toca.

–Listo. Tu cerebro ya cree que esos brazos y piernas son tuyos.

Rai da un par de pasos hacia adelante y luego a los costados. El avatar que se asemeja al doctor Dunn se mueve. El doctor Dunn es Rai. Qué cosa rara. Está en una sala con ventanales que dan a un balcón y a un jardín de arces japoneses de brillo difuso, las hojas de rojo sangrante y la corteza del tronco del color y la textura de la piel de un elefante. Una escalera a un costado. Hojea libros de neurología en un estante, uno de un filósofo alemán sobre la forma en que el cerebro aprehende la realidad. Siente en sus manos la textura de los libros, la delgada fibra de las hojas. Los sonidos retumban en sus oídos. Los colores vibran. Una hormiga camina por la pared del estante. Las pupilas del avatar están sincronizadas con las suyas. Pestañea; el avatar hace lo mismo. Guiña, y sus expresiones faciales repiten el movimiento.

Todo le es familiar. ¿La casa de un amigo? No, la del doctor Dunn. Su casa.

Al fondo de la sala dos niños recostados en el sofá ven un programa de dibujos animados en la televisión. Son los avatares de... sus hijos. El cerquillo de Camila le cubre la frente, las mejillas pintarrajeadas, como si hubiera jugado con un lápiz labial; salta del sofá y corre hacia él gritando *papá, papá*. Sus pupilas no están muertas como suelen estarlo las de los avatares de otras realidades virtuales.

Se inclina y la alza y siente su cuerpecito pegado a sus guantes. Su pecho tiembla. Calor en las sienes. Camila es virtual pero aun así se emociona.

–¿Me extrañaste, hijita?

¿Es él el que dice esas palabras? ¿Quién dice esas palabras?

–Te voy a extrañar cuando no estés conmigo, papi. Pero como siempre estás conmigo cuando no estás, nunca te extraño.

Manu, descalzo y con pantalón de pijama y polera de *Fortnite*, se levanta:

–¿Me trajiste lo que te pedí, papi?

–Claro que sí, hijito. Está en mi maleta.

–Cuando viajas, ¿te vas a otra dimensión?

Le invade una sensación de tristeza. Un ligero mareo. Camila, Manu, no se vayan.

El pecho se contrae. No aguanta mucho y se saca el casco.

Cuando vuelve al mundo le cuesta estabilizarse. Un zumbido le taladra la cabeza. El buzo le incomoda. Sus manos están sudando. Dunn lo mira, expectante.

–Por unos minutos fui, doctor. Un *fui* engañoso, claro. ¿Yo fui usted, doctor?

–Con calma, Rai. Aclárese la mente un poco.

–En ese momento no lo sentí así. Llegaba a la casa después de un viaje, para encontrarme con mis hijos, pero a la vez me apenaba porque ya sabía lo que había pasado con ellos. Ellos. Mis hijos. Sus. ¿Nosotros? Él era yo. Yo era él. ¿Usted era yo?

–Un pasado intervenido por el futuro. Sé cómo es eso. Dijo que entendió mi pérdida, Rai. Yo sabía que no. Ahora puede que sí. La encarnación virtual toca partes inconscientes de la mente. No solo sabe lo que ocurrió sino que lo ha vivido.

–Es que es bien realista. Usted… usted. Yo no fui yo. Usted no fue usted.

–Bueno, no es exactamente yo. Para que lo fuera el mapa de datos tendría que ser igual al territorio que cubre el mapa, por decirlo de alguna manera. Es un avatar al que han alimentado con datos míos, los más significativos. Han hecho un buen trabajo, hay incluso *easter eggs.* ¿Vio el libro del filósofo alemán en el estante? Es un pequeño homenaje a alguien que influyó mucho en mis ideas.

–La calidad de las imágenes impresiona, y la forma en que se conectan a uno. No sentía que ese holograma o avatar o como quiera llamarlo uno era de un juego. Era yo mismo. Y eso que no era yo. Yo no era yo. ¿Tiene sentido? Y si no era yo, ¿quién era? Porque usted estaba aquí. ¿Había dos doctores Dunn y ningún Rai? No sé si me dejo entender.

–Y eso que falta. Mi hijita no es tan orejona y el cuello de Manu está largo. Les di todas las fotos y videos que tenía de ellos, también usaron modelos para capturar los movimientos. El *rendering* virtual es difícil. Los técnicos me piden que me relaje. Pero ellos no son todavía ellos. Los avatares son interpretaciones, sí. No me malentienda, lo paso bien cuando estoy en ese mundo y mi avatar tiene una cola o una extremidad fantasma. Es una sensación hermosa mover la cola o tener tres brazos. Ahora, si se meten con mis hijos, lo menos que se puede hacer es demandar exactitud, ¿no? Los ingenieros dicen que debería liberarme de eso. Todavía me cuesta.

El doctor hace una pausa. Rai siente un ligero mareo, punzadas en las sienes.

–La encarnación virtual puede ser una terapia –continúa

Dunn–. En algunos centros ya la están usando para lograr cambios en la gente. Una compañía catalana piensa abrir pronto sucursales en La Paz y Santa Cruz. A los hombres abusivos se les hace vivir en el cuerpo virtual de la mujer golpeada. A los pedófilos en el del niño abusado. Sí, ya sé, hay un montón de gente del gobierno en líos de abuso doméstico. Una vergüenza. Las cosas cambian lentamente. Pero si el mundo cambia, el país también.

Rai piensa que intentó hacerse el desentendido cuando lo agarraron en el Centro, pero bastó que lo amenazaran con exponerlo en las redes para buscar un acuerdo de inmediato. La gente le tiene más miedo al escrache que a la justicia.

–La compañía catalana ofrece terapias de semanas o meses, dependiendo de la gravedad del asunto. Después de un tiempo con la encarnación virtual es inevitable que los abusivos desarrollen empatía por el cuerpo de esa mujer que golpean, ese chico que abusan.

–¿Inevitable? También podría ser al revés.

–La tecnología es ambivalente, sí –el doctor carraspea–. Todo depende de para qué la usamos. Es cierto, se puede abusar. Ponerte en una celda virtual, sentir que el gobierno te matará si no confiesas algo que quiere que confieses, aunque no lo hayas hecho. Ponerte en el cuerpo virtual del abusador. De un violador. De un pedófilo. Quizás disfrutar con ello. No todo debería ser positivo con esto, es verdad.

–¿Usted la usa como terapia?

–No es terapia, precisamente –Dunn se limpia los párpados con una toalla húmeda–. Porque no me siento mejor. Pero me gusta estar con ellos. A lo mejor es un paraíso real. Mis hijos me llaman con sus sonrisas y siento que los quiero más que antes.

–Habrá... habrá gente que cuestione todo esto. Sus hijos no están muertos, pero, ¿se imagina si todo el mundo pudiera encontrarse en la encarnación virtual con padres o abuelos muertos, parejas que nos han dejado?

–Eso hacen ya en un *reality* en Corea del Sur. Sensacionalista para mi gusto, pero me queda para siempre la cara emocionada y sorprendida de una madre al encontrarse con su hijita fallecida con un cáncer atroz a los cinco años. No está mal que la tecnología nos haga reconfigurar nuestra forma de entender la vida y la muerte. Entiendo los problemas éticos, pero por ahora quiero enfocarme en lo positivo. Con la encarnación virtual también puedes ser el yo que fuiste en el pasado. Ese yo que ya no está, al que llegas desde esta alucinación a la que llamas yo. A los ingenieros y diseñadores del estudio les estoy agradecido. Hay cosas que me han servido mucho, aunque las lecciones llegaron tarde. Esto que acaba de vivir lo crearon para mí cuando se enteraron de mi historia. Bueno, lo creó la inteligencia artificial de Tupí VR. Una máquina narrativa a la que uno alimenta con sus experiencias para que escupa una historia. Yo solo soy el ayudante del guionista. Las capas de algoritmos crean la secuencia narrativa a partir de lo que consideran más probable de todo lo que le digo y que los ingenieros y diseñadores ayudan a adaptar. No hay verdadero o falso sino probable o improbable. Será el nuevo régimen, apuntamos a eso.

–Lo extraño no es la sensación de estar ahí, doctor. Es la emoción que acompaña esa sensación de presencia.

–Exacto. ¿Se imagina lo que podemos hacer para replicar la experiencia lisérgica del ala? Podremos encarnarnos en una planta y trataremos de transmitir la sensación de ser una planta. Haremos un bien. La comunidad lo agradecerá. Un desorden controlado.

–Esto es tan bueno que quizás no hagan más que reemplazar una adicción por otra.

Dunn le pregunta si quiere probar el demo de la alita. Son

apenas unos minutos, los introductorios. Les está costando replicar el recorrido ilógico de la experiencia lisérgica.

–Déjeme que me recupere de esto. Por un instante dejé de ser yo. ¿No le parece raro? Yo estaba ahí, con sus hijos. Sus hijos estaban ahí.

–Le quedará la tristeza durante un rato –el doctor baja la voz–. Mi tristeza. Igual, nunca es del todo suficiente. Estoy cerca de ellos pero sé que no son ellos. Quisiera que sean ellos de verdad. O en su defecto engañarme tanto que no me dé cuenta de que ellos no son ellos. O buscar otro método para tenerlos siempre conmigo. En todo caso ayuda. Hay que hacer de todo para lograrlo. Arriesgarse, sabiendo que las cosas no saldrán bien todo el tiempo. Pero hay que confiar en que, si sale mal, será poco comparado con lo conseguido.

Salen del galpón. Rai observa a Dunn alejarse cruzando el patio en diagonal. El hombre que poco antes quería llevarse el mundo por delante camina cabizbajo. Por las noches se entrega a la encarnación virtual, juega con sus hijos, los ayuda a hacer las tareas. Es hermoso y también triste.

El dolor de cabeza persistirá unas horas, al igual que la sensación de pérdida. Rai extraña a Camila y Manu. Un susurro: *¿a cuál dimensión te fuiste, papá?*

Eso, ¿a cuál?

La doctora Valeria Cosulich pasa notas de un cuaderno a la PC en la oficina que comparte con Rai en el edificio principal. Un agresivo olor a menta devuelve a Rai a la infancia: su madre curaba sus males con un ungüento mágico de olor similar (buscaba excusas para hacerse daño y así poder echarse en su cama y dormir abrazado a ella, las noches en que la encontraba ahí). Las tazas de café se amontonan en la mesa. Al lado de la cafetera dos macetas con plantas de hojas delgadas y flores de color rosado, las ramas inclinadas a la izquierda en busca de la luz que incendia la ventana.

–Espero órdenes –dice Rai. El café arde en su garganta.

Valeria le informa que debe ayudar a escoger a los voluntarios para los experimentos, observarlos, desarrollar métodos consistentes de evaluación y pruebas psicológicas para asegurarse de que pueden participar. Rai le pide que le deje ver sus notas. Ella le pasa una carpeta con imágenes borrosas. Observa el contorno de la cabeza de un puma o jaguar, el perfil de un búho y el de un tiburón, cubos y rectángulos amarillos y azules, un vitral policromado. La doctora le explica que son imágenes extraídas del cerebro de los voluntarios en momentos de intensa actividad de la alita; se las consigue con un equipo de electroencefalografía. Una red neuronal diseñada por los científicos de Tupí VR traduce las señales del cerebro en la gorra de sesenta y cuatro canales que usan los voluntarios y las convierte en imágenes.

–Un proceso prácticamente automatizado. No son exactas pero nos dan una idea y son el punto de partida para que los técnicos intenten reproducir el delirio psicotrópico con la alita. En sus estudios en San Pablo tienen otra red neuronal generadora profunda que les permite seguir refinando las imágenes.

–Una máquina que espía nuestras alucinaciones –dice Rai–. Una máquina que me convierte en otra persona. Con eso he visto todo.

Debajo de la imagen de un arbusto Rai lee una nota escrita a mano: *Por la madrugada aparecí a la orilla del río & me convertí en planta.* Refrena la curiosidad de preguntarle a quién se refiere. A ella, imagina. Valeria le dice que son imágenes recientes y él le dice que las estudiará con calma. ¿Qué se hace? En el Centro y en otros trabajos le llamaron la atención por no tomar notas de las pruebas con sus pacientes. Era inconsistente, se olvidaba de hacerlo.

Valeria toca el espinazo de las hojas de una planta y estas se cierran de inmediato. Vuelve a tocar las hojas y se abren.

–Te presento a Susy y Sisi. Una planta sensible, la mimosa. Me las trajeron del Madidi. Son la mejor compañía. ¿Querés una para tu estudio? En poco tiempo estarás en grandes charlas con ella.

Rai rechaza el ofrecimiento. ¿Es un chiste? Acerca el dedo a la mimosa y sus hojas se contraen. Su fragancia es un látigo dulce.

–Nuestra selva está llena de bichos raros –dice Valeria–. Es un exceso de formas, colores y olores. Cada planta tiene su personalidad. ¿Viste el árbol de manga en el patio? Desborda energía. No es que nos conecte a la tierra, es que es conexión pura. Y los cupesís a la entrada. De no creer su verde.

Podemos crecer como humanos si nos enraizamos con el mundo vegetal.

A Rai le vienen a la memoria versos aprendidos en la infancia: "madre naturaleza, vuélveme árbol". Qué ganas de burlarse de esas ideas *new age*.

–A ver si algo queda. Vi un montón de humo de los chaqueos cuando me traían, y toda la noche escuché el ruido de las motosierras. Como si estuvieran trepanando el cerebro del monte.

–Y lo que no vemos monte adentro. Comunidades enteras atrapadas por sus deudas, a manos de patrones hijos de puta. El habilito y el enganche son una mierda. Los hacen trabajar en la cosecha de la castaña y en la tala de árboles en los bosques certificados, que el gobierno no protege por falta de recursos y voluntad. Las pobres beneficiadoras legales cualquier rato van a quebrar... los narcos lavan dinero comprando sacos de castaña a precio inflado, pero no de ellas. ¿Por qué creés que hay tan pocos mototaxistas en el pueblo? Se han ido de castañeros a la mata. Y claro, no faltan los inescrupulosos que explotan a los indios. Alvarenga no me va a dejar mentir. Es uno de los voluntarios, se escapó de sus captores a los catorce años. No recuerda mucho pero a veces la alita le jala cosas. Seguro lo escucharás hablar de un tal Gigante. El Gigante proviene de ahí. Era el jefe de sus captores.

Un ruido los distrae. Valeria se levanta a dar una ronda por los cubículos y él la sigue. Tres voluntarios miran el techo con los ojos bien abiertos. Una se llama Florencia y es una tarijeña larguirucha a la que le castañetean los dientes; Yesenia, con un mandil blanco manchado a la altura del pecho, le agarra la mano y la ayuda a tomar agua. Otra enfermera entra y sale. Valeria le pregunta a Yesenia si está todo bien y ella asiente.

Es lo que llamo el período zombi –le dice Valeria a Rai–. Se quedan así un par de horas después de despertar. Luego se agitan y aparecen los remezones de la experiencia. Ya te digo, Rai, los paisanos de esta zona saben algo que nosotros no. Tantas plantas en la selva, ¿cómo dieron con una de propiedades tan potentes? ¿Cómo descubrieron que otras plantas y sustancias podían activarla?

–Quizás las probaron todas de una en una.

–¿Sabés lo que estás diciendo? No hubieran terminado nunca.

–Entonces fue pura suerte.

–Me resisto a creer. Ha tenido que ser algo más especial.

Entran al cubículo de Alvarenga. El voluntario tiene ajustada en la cabeza una gorra blanca repleta de sensores; a un costado está la máquina ambulatoria color crema a la que le llegan las ondas de los impulsos cerebrales que reciben los sensores. Valeria le pide que mantenga los ojos cerrados. Alvarenga levanta las manos y pone cara de esperar un castigo. Rai nota que al lóbulo de su oreja derecha le falta un pedazo.

Al salir Rai le comenta a Valeria que el morocho se ve ido, quizás le han dado una dosis fuerte.

–Le dimos igual que a los demás, cara. El doctor prepara un frasco para cada voluntario y me lo entrega solo a mí para que no haya posibilidad de confusiones. Tenemos experiencia en esto, no te preocupés. La receta es potente y punto. Por algo son voluntarios. La pasan mal a veces pero les das unos días de descanso y quieren repetir la experiencia. Y cuando se van, al poco tiempo quieren volver con nosotros.

Lo lleva a dar una vuelta por el recinto. En un cuarto bajo llave donde se acumulan los trastos se encuentran los frascos de alita alineados sobre el mostrador. La oscuridad ayuda a conservar su frescura. Valeria destapa uno, le pide que huela la sustancia verde y espesa. Él siente un olor a madera licuada.

–Si no hay de la que preparan en el pueblo o las comunidades, esto tampoco está mal –dice ella—. Más bruto y agreste, más impredecible, pero zafa. No es fácil probarlo, el doctor controla las cantidades.

Valeria baja la voz:

–¿Te puedo confesar algo? Le tengo cariño al doctor, pero hay lealtades más fuertes. Él usa las plantas para su coso tecnológico. Para mí la fidelidad primera es siempre a la planta.

–Mi fidelidad será a los pacientes, Valeria.

–Yo me doy a ellos. Y al doctor, por supuesto. Para eso me trajo al laboratorio. Para ser el filtro entre él y el mundo. Como cuando vino a la farmacia a comprar clona. Así lo conocí. Lo de su esposa y sus hijos fue jodido, se enganchó al clona y no podía soltarlo. Me dio pena así que le dije que lo llevaría a que unos amigos le hicieran una limpia. Yo fui la que le hizo conocer la alita. Y aquí estamos.

Le dice que no lo dejará irse sin una mimosa. Se recuesta sobre una hamaca.

Rai le cuenta a su madre que ha llegado. La comunicación es mala, llena de estática, quizás deba cambiar de compañía. No le dice nada de las cosas extrañas que ha visto en su primera semana, su experiencia con la encarnación virtual, la forma en que la alita se apodera del cerebro de los voluntarios y les hace ver y decir cosas. Ella le comenta que ha visto un documental sobre la realeza europea, se están casando con *cualquiera*, va a degenerar rápido todo. Habla lentamente y sus palabras suenan raras, como si se comiera letras o las pronunciara de otra forma. Su énfasis en la palabra *cualquiera*: ha perdido su capacidad de dominar el entorno pero no de despreciarlo.

Se queja de su nueva empleada: es muy descuidada, si doña Leo estuviera no pasarían las cosas que pasan. Cuidado con el agua, debe estar llena de bichos. Tu carta astral decía que no viajaras. No sé por qué me has dejado sola, mal te deberías sentir. Está atrasada con los concursos y la prensa no la deja en paz. Lo cierto es que Promociones Delia no es la de antes, pese a la cobertura que aún consigue en los medios. Debe organizar pronto el Señorita Turismo, el Reina del Durazno y el Miss Feria Exposición. El primero es el más importante, si no lo hace bien le quitarán la franquicia. Hay buenas candidatas pero el *look* está cambiando, son empoderadas, hijito, birlochas *top*, van al gimnasio desde las seis de la mañana, antes había que arrearlas, y gastan su plata en operaciones sin que les tenga que insistir. Sus papás despilfarran como las cambas en los trajes de fantasía. Cuidan su silueta, no son típicas cochalas de chicharrón y brazuelo los domingos. A sus familias les ha ido bien con el Compañero Presidente. No me hace feliz pero si no me adapto me hundo. Las Chicas Fit están sacando calendario y han metido a una en *Bailando por un sueño*. Es que nadie me apoya. La Miss Cochabamba llegará a ser una travesti y recién me van a extrañar.

Su madre solía llamarlo sin descanso al Centro. Él trataba de mantener su distancia pero no podía; ella quería que le cambiara dólares o fuera a buscar un vestido donde su diseñadora. Con los años se ha tranquilizado pero aun así su ritmo es notable. Está despierta desde las seis, barriendo el jardín de la casa de un piso a la que se fue a vivir en la Papa Paulo después de que la decadencia de Promociones Delia la llevara a vender la casona de la Ramón Rivero. A veces Rai cree que se vino a Villa Rosa no tanto por escapar de los rumores sobre su partida del Centro sino para descansar de su madre.

Antes de colgar ella le pide que le mande fotos para compartirlas. Escojo una buena y te la envío más tarde, le dice Rai, pero no lo hará porque le irritan los comentarios babosos y las bendiciones de sus amigas y las chicas de Promociones Delia, la hipocresía de los periodistas que la aplauden pero apenas se da la vuelta no la bajan de *vieja proxeneta*.

En Instagram le aparece la publicidad de un libro de pruebas psicológicas, "comedia, historia y autoayuda al mismo tiempo, para leer con un lápiz al lado". Sabe por qué se lo ofrecen: días atrás le envió a un excolega un correo pidiéndole sugerencias de pruebas. Está resignado a que su celular lo espíe incluso cuando está apagado. Cada vez que hay un escándalo con el tema de la privacidad amenaza con salirse de internet o al menos encriptar su información y sus mensajes; nunca lo hace. Admira a los anacoretas de las redes con la atribulada expresión del que quiere pero no puede.

Garabatea calaveras en un cuaderno y las clasifica para una prueba que podría administrar a los voluntarios. En 4chan revisa los últimos *deepfakes* y se decepciona de uno en el que Mark Zuckerberg dice, enfático, que Facebook es "dueño" de sus usuarios: la voz no es convicente; pronto habrá, seguro, muy buenos programas de inteligencia artificial generadores de voces sintéticas. En otros con un montón de visitas se cogen a un cantante de BTS, convierten a un expresidente mexicano en apologista del tráfico de cocaína en una escena de *Breaking Bad* y le lamen los pies a Roger Federer. Rai se asombra de uno que han hecho con la cabeza de Zendaya montada al cuerpo de una actriz porno llamada Star Comes. La actriz está en la ducha y mueve su cabeza como si de verdad se estuviera dando placer. Es Star Comes la que goza, pero es Zendaya a quien la gente creerá feliz bajo el agua de la regadera, desnuda y apoyada contra la pared.

Debe preparar los test para los voluntarios que probarán la planta alucinógena en los próximos días, mostrarle al doctor Dunn que no se ha equivocado al contratarlo. Su indolencia le gana la partida y se pierde revisando los hilos en el tablero de 4chan dedicado a "sexy beautiful women": "cute chubby geek", "big saggy tits in hands", "small and dark", "buttholes that make you go damn", "sharing wife and taking requests", "wet and messy", "pregnant with big toys". En el hilo "amateur voyeur" un chico le lame el coño a una mujer mayor en un aula vacía, un usuario ofrece fotos de su hermana y el instructor de una escuela de karate postea fotos de sus alumnas en la ducha. La conexión va y viene.

Subo a FakePorn –una *app* ilegal, conseguida en reddit– el video de la doctora Cosulich en el desayuno. No es de los mejores, se la ve nerviosa y con ojeras, pero intentará crear un

El doctor quiere mostrarle a Rai la introducción entera al juego. Su llamada dispara ansiedades en Rai: se apoderan de su cerebro y no hay un código de neuroprotección que lo defienda. No debería probar más ni la alita ni la máquina. Y sin embargo…

Cuando está con él Rai le dice que los voluntarios son frágiles y no recomendaría a ninguno para probar la máquina. El doctor le agradece la opinión y le dice que la tomará en cuenta. Rai le nota un aire ausente, los pantalones sucios y la camisa arrugada, él que es tan prolijo, y el pelo revuelto, como si se acabara de despertar. Se pasa una toallita húmeda por los ojos, lo ha visto hacerlo varias veces, ¿tendrá algo? Exageremos: ¿síntomas de epilepsia o desorden bipolar? Da para reírse. Lo cierto es que no sabe mucho del doctor. Ha aprendido más de él en videos en YouTube o a través de sus recuerdos que a lo largo de estos días en el laboratorio.

Rai le ha tomado cariño al buzo háptico. Venía a la selva sin saber que se encontraría con esta alucinación tecnológica. Su cerebro ha resultado más plástico de lo que creía (mucho más capaz de engañarlo de lo que creía). Tupí VR debe estar satisfecha de su voluntariado.

Va adentrándose en la selva. Con su mujer, Camila y Manu llegan a una cabaña donde pasarán la noche. Camila tiene los brazos metálicos y un bejuco a manera de cola; Manu lleva una camiseta de la selección argentina y resplandece como si tuviera una fábrica de piedras preciosas en su interior. Ha llovido, las telarañas brillan en el follaje. Más allá de un curichi se divisa un bosque neblinoso. Árboles de troncos secos, insectos que aletean trastornados, arbustos que bajo el resplandor de la luz son un incendio.

–Camila, Manu, apúrense.

Dejan las maletas a la entrada acompañados por su guía. Él se acerca al mostrador a pagar el alquiler de la cabaña. Los ojos de las mujeres que los atienden son monedas de oro. Una hace sonar una campanilla y aparece el hombre que los llevará a la cabaña, garras de león en vez de manos.

Él se apoya en la pared y de pronto cede. Un letrero dice: NO PASAR. Detrás del letrero asoma un túnel. Escucha ruidos metálicos. ¿Dónde está? Un camino alternativo inventado por los diseñadores, un desafío para jugadores avezados.

¿Qué hace? ¿Ingresa por el túnel?

El temor lo lleva a volver sobre sus pasos. ¿Habría reaccionado así el verdadero doctor Dunn? ¿Puede él, como un avatar del doctor Dunn, intuir cómo reaccionaría el verdadero Dunn?

La encarnación virtual no tarda en juntar nuevamente a Rai con Dunn: deja de mirar al doctor desde Rai, regresa a mirarse como el doctor.

Ingresa de nuevo a la *realidad otra* en la que se hallaba antes de que cediera la pared. Camila y Manu cantan, tirados en la alfombra. Camila come hongos mágicos y se convierte en una vaca; Manu le jala la cola y sus pedos son notas de una sinfonía sinestésica: el paisaje va cambiando de colores con cada acorde.

Su mujer ve al hombre y se incomoda. El hombre evita su mirada. Él se percata de su machete a la cintura.

–¿Le pasa algo, doctor?

–Soy el doctor Dunn. Soy el doctor Dunn.

Se estremecen sus sienes, como si hubiera ocurrido un *glitch*. El dolor de lo que vendrá es una mancha que lo recubre, golosa. Pinchazos en torno a la nuca. No puede más y se saca el casco.

–Doctor Dunn –dice el doctor Dunn–, ¿le pasa algo?

Mueve la cabeza y se restriega los ojos.

–Sí, doctor –dice Rai–. Le pasa algo.

–Con calma, aquí estamos.

–Le pasa algo. Le pasa algo.

–¿Me lo va a decir?

–Yo inventé al hombre del machete en las alucinaciones de Alvarenga y los demás. Yo inventé al Gigante.

–¿Yo?

–Yo –dice Rai–. Usted. Y lo implantamos en el cerebro de ellos a través de la alita. ¿Qué compuestos le añadimos? Acepto que a don Nataniel y a los administradores los hayan inspirado las fotos en su escritorio. Pero el Gigante no.

–Usted está mal, doctor Dunn…

–Soy el doctor. No, no lo soy. Ya me saqué el casco.

El doctor no está tan equivocado, piensa Rai: no es suficiente abandonar el casco para que uno vuelva de inmediato a ser el que era. Pero esta vez no ha pasado mucho rato en el juego.

–No me acuses de tonterías, Rai, no tengo tanto poder. No se puede implantar memorias a través de la alita. Es al revés, más bien. La taxonomía de los delirios, las imágenes que conseguimos del cerebro de los voluntarios, me sugirieron qué crear para narrar esta historia. Esos delirios inventaron al Gigante.

–¿Inspirado por un empresario maderero?

–Que sus sueños se mezclen con los míos no es extraño. Yo soy el principal ayudante del guionista de esta historia. Todo esto está en uno mismo, Rai, no tienes nada que temer. La máquina extrae, no añade.

–Hay algo más, doctor. Está en el aire.

–En el aire de los tiempos, quizás.

–Puede que los algoritmos tengan su propio proyecto, distinto al de la compañía. Son pruebas experimentales, ¿no? ¿Qué sabemos?

–No te compliques.

Rai quisiera seguir discutiendo pero está agotado y le cuesta pensar.

Una tarde templada y nubosa –una bandada de pájaros negros en el cielo– los voluntarios prueban la nueva versión. En el recinto donde Valeria y Yesenia les dan las dosis, ellos en fila, tensos y curiosos, arrancando aplausos del suelo con sus chinelas, Aimara mira a Rai como si no lo conociera. Eso le duele a él más que si hubiera armado un alboroto, y se acerca a susurrarle unas disculpas. Ella le da la espalda.

Sánchez se fija en la mejilla de Rai, en el rasguño de Aimara.

–No me digás que fuiste a uno de esos antros de selváticas –susurra–. Si querés tengo buenísimos contactos al otro lado. Te puedo pasar unos *wasaps*. Todas vienen con fotos.

–No creo en esas fotos, Ricardo. Un amigo me pasó unos *wasaps* la última vez que fui a Santa Cruz. La que llegó a mi hotel fue una gorda y tuve que devolverla. Bueno, probablemente si ella me hubiera pedido también me habría devuelto. Mi perfil en Tinder es bien mentiroso.

–¿Y qué tenés contra las gordas? Son las más gustosas. Las más necesitadas. En realidad casi todas las mujeres quieren, solo que algunas de entrada dicen no o se hacen las indiferentes. Hay que dejarlas que ganen ese primer *round*.

Choque, al que se le ha dado una dosis y media –no han hecho caso a la recomendación de Rai–, tiene un ataque de pánico al descubrir figuras que salen de las paredes y se le acercan. Yesenia lo ayuda a llevarlo a su cubículo y le da azúcar para cortarle el viaje.

Rai toma notas en un cuaderno. Escribe que no está de acuerdo con dar dosis diferentes a los voluntarios de un mismo experimento. Todos deben probar la misma cantidad. Se lo dice a Sánchez, y él le da la razón. Rai escribe: *sánchez está ahí porque da la razón a todo el mundo y no quiere ofender a nadie ayuda ayuda y uno se olvida de él.*

Debería despedir a Sánchez. Sí, hará eso.

Valeria aparece y él sugiere de nuevo que no deberían pasar de una dosis a todos.

–Me gustaría tener una nueva reunión con… con el doctor Dunn –dice él.

–Está ocupado probando un nuevo compuesto. La recta final.

–¿Entonces no?

–No lo sé. Es una larga marcha.

Vuelve a la sala, a ocuparse de los voluntarios.

Valeria me está mintiendo, piensa. No está ocupado. No estoy ocupado.

Ante sus ojos se recorta una silueta. No le ve la cara, puede que sea el Gigante, lleva un machete a la cintura. Se le acerca cuando ve que por la ventana ingresa un pez volador. Una figura tenue, casi un espectro, que no termina de materializarse: antes de caer al suelo en su salto de un lado a otro del recinto, ya se ha desvanecido.

–Gracias por devolverme a la vida –dice su hermana, sentada junto a la piscina. Lleva casco, un buzo háptico verde y zapatos con suela de corcho. Ella le toca la cabeza y acaricia la cola de lagarto.

–Si no te hubieras ido no estaríamos en esta –dice el niño. Rai escucha su voz de adulto con el mismo timbre que la de él y se sorprende: es y no es él. Ruidos de estática. Debe apurarse.

–No sé si estoy aquí –dice ella–, tantos años que no estuve y viví en otra dimensión.

–Nunca estuviste del todo aquí. Y qué tal la otra dimensión.

–Nos quejamos de esta pero la otra es peor. Mentira que no estuve. Fui buena contigo y eso es lo que importa. Te llevé al cine y al estadio, hice las cosas que los papis no hacían. Te enseñé a sacar fotos, ver cómo la realidad brilla si usas bien la cámara.

–Solo que las cosas tienen hoy poco de real. Y no importa si estuviste o no, si estás viva o eres fantasma, sino que estás a mi lado y no te irás más.

–Por supuesto que me iré –ella deja caer un zapato a un lado, muestra la delicada curvatura de su pie, las uñas pintadas de celeste–, pero me puedes convocar cuando quieras, despierto o dormido, y regresaré.

El niño toma una limonada amarga y siente el escozor en la garganta. Arma figuras con las palabras de su hermana, bichos que se materializan en el jardín en forma de fractales y danzan en torno a ellos. Algas doradas, organismos unicelulares, amebas, plancton. Más allá de la piscina y el jardín asoma la selva. Mira a su hermana, quiere tocarla.

–He querido tanto volverte a ver –le dice–.

–¿Nos metemos al agua? –ella se pasa la mano por los ojos–. Lo bueno de desaparecer por tanto tiempo es que uno aprende quiénes lo quieren. Mamá me quería, pese a todo. Tú también.

Ella cruza y descruza las piernas largas sobre la toalla. De algún lado sale una música de flautas. Mi hermana no está muerta, dice el niño, convencido. Karina está aquí conmigo.

–¿Te quedarás esta vez?

–Me iré pronto. Por favor no le digas a los papis que estuviste conmigo.

–¿Adónde? –dice el niño–. A él no lo veo hace tiempo.

Karina ríe y su cuerpo se sacude. Deja caer el otro zapato.

–Me fui porque mamá me echó de la casa.

–¿Me contarás los detalles?

–Pregúntaselos a Miss Tiquipaya.

–No está ya con nosotros.

–La puedes convocar como me convocaste a mí.

–Buena amiga, nunca reveló tu secreto.

–Amiga no. Conocida, como todas las misses *que odié. Mi secreto a voces. El secreto que conocía toda la ciudad. El secreto del que te quisieron preservar, pobre. Pero no todos saben todo. Saben que mamá quería forzarme a ser una de sus chicas, decía que era guapa y debía aprender a sacar partido de mí misma, me obligó a ser azafata en una feria. No saben por qué esos meses me llevó a inauguraciones de hospitales y colegios junto a la Miss Cochabamba, bien vestida y perfumada.*

–¿Por el político de la cara quemada?

–Ah, sabes más de lo que aparentas. Sí. Yo hacía de todo para que se me corriera el maquillaje, me sacaba los zapatos en pleno acto y me hurgaba la nariz y los pies, mamá me reñía, pero el político le

decía que me tuviera paciencia. Me asusté, mamá tejía su tela y pensé, será verdad, será que esto que pienso es lo que ronda en su cabeza.

–Mamá no es así.

–Mamá es así. Ella pasaba los días en las oficinas de Promociones Delia y papá, tu papá, venía a mi cuarto a quejarse de que todo eran sus misses *y sus fiestas. Lo escuchaba y también me quejaba de mamá y de ellas. Tú eras él único que las toleraba. Así, entre queja y queja, algo ocurrió. Algo nació. Algo creció. ¿Lo vi como mi salvación? No lo sé. Sería loco, ¿no? ¿O mi suicidio? ¿Las dos cosas a la vez? ¿Algo, cualquier cosa que me sacara de ahí? Creía que no era consciente de nada y todo era puro sentimiento, pero se me ocurre que en mis actos de esos días había también algo consciente. Lo cual no quita que lo otro era genuino. Aunque hoy lo único que siento es vergüenza y rabia.*

Ella se levanta.

–Todo fue lindo hasta que las misses *invadieron la casa –dice–. Quise esconderme en ustedes. Permitieron que lo hiciera y un día ya no lo permitieron.*

La piel verde del niño es blanda y se hunde. Pierde espesor y se levanta del suelo y flota. Las amebas giran en torno a los dos. Deja de respirar. Su olor animal lo invade.

–¿Esto también lo hace la plantita?

–Por supuesto. Con la ayuda de tu cerebro, la plantita trabaja a tiempo completo para reinventarnos. Con la ayuda de tu ínsula, neocortex y amígdala, quiere que dejes de pensarte enfermo. Quiere que todo tenga una explicación.

–¿Lo tiene?

–¿Cuáles son tus conclusiones?

Karina se agacha y él no le ve la cara. Se mueve ella y también su fantasma. Observa los reflejos de su cuerpo en el pasto. Del cuerpo de ella sale una música que lo envuelve.

–Fue una vida dura, en la otra dimensión. No hubiera querido irme, pero los que desaparecen no tienen derecho a elegir. Ahora me

regreso. Si no, alguien llamará a mamá. Como esa noche. Una miss *quería probarse un vestido y por equivocación entró a mi cuarto. Y…*

–¿Y?

–Papá estaba ahí, conmigo.

–Ajá.

–Al día siguiente mamá recibió una llamada anónima. Nos confrontó. No pude mentir. Habló con mi padre ese mismo día y me compraron el pasaje para que me fuera con él a Miami al día siguiente. Papá, tu papá, bajó la cabeza. Me quedé sola. Ese sábado me levanté temprano y me despedí de ti y de doña Leo e hice mis maletas. Fui caminando por el Prado a la Colón, pasé por las oficinas de Promociones Delia, llegué al Loyola. Miraba los árboles en la jardinera que da al Viedma y pensaba: no volverás a ver todo esto. Ni a tu hermano ni a tus amigas. Lagrimeaba. Es monstruoso lo que han hecho, decía mamá. El monstruo es el amor, pensaba yo. Quería tenerle pena a mamá y no podía. Pensaba: después de un tiempo él irá a buscarme. Así pasó un año. Dos. Pero, ¿dónde carajos estaba mi cabeza? Porque, si tienes quince y la otra persona casi casi te triplica la edad, ¿qué conclusiones sacas? Treinta y un años ya y todavía recuerdo esa noche en el Volkswagen, con mamá rumbo al aeropuerto por la avenida junto al río mientras ella me insultaba y decía que me quería, ay qué vergüenza hija, la cola frente al mostrador, y yo caminando para abordar el avión y girando la cabeza cada rato para ver qué dejaba atrás y con la esperanza de que él apareciera para despedirse. Nada. ¿Qué le vi? No sé. Me trataba bien. No me ignoraba. Respetaba mis formas de ser tan lejanas de las que mamá quería. Un respeto nacido de la falta de respeto. De algún lado tenía que nacer, supongo. Todo terminó siendo hasta por ahí nomás. Pero, ¿qué esperaba yo? En serio, ¿qué? Qué confusión. Qué dolor.

–Hermanita, no te vayas –dice el niño desde el fondo de su garganta.

–Me iré y no me iré –dice ella y le toca la cola de lagarto y lo abraza.

–No creo que no estés aquí –dice el niño–. Podría sacar una foto y tener una prueba de tu visita.

–Niño verde, niño monstruo, no necesitas más pruebas que la certeza de tu alma en vilo.

–¿Y si me muero yo y me voy contigo?

–Te esperaré allá, hermanito.

–Entonces, ¿todo fue así como me lo cuentas?

–No has entendido nada. Por supuesto que no.

Karina le da un beso en los labios, se da la vuelta y se tira a la piscina. Él se queda viéndola en medio de las ondas concéntricas del agua esmeralda, hasta que ella no está más ahí.

Rai duerme toda la mañana y al mediodía, en el salón comedor, se entera de la desaparición de Yimi. Valeria, Sánchez y los voluntarios lo buscan por el laboratorio, sin suerte; Sánchez especula que quizás se voló, pero Valeria le dice que sus alas estaban cortadas, aparte de que le quedaban pocas plumas, y señala que lo más probable es que se lo robaron.

–Así como la ven, es una paraba cara.

–Gente de mierda, por unos pesos. El pobre Yimi no aguantará mucho con otros.

Rai no ve a Yesenia por ninguna parte. Quizás ella sepa algo, piensa. O mucho.

Él enrumba a la ciudad, deja a Valeria preocupada por la reacción del doctor Dunn (quizás no sea nada, dice ella, tan metido en las pruebas, pero igual). Se pregunta dónde estarán las dos Karinas, la real y la reconstruida por la alita.

Zumbidos en los tímpanos. La cabeza disasociada del cuerpo, como flotando en el aire por cuenta propia. En Instagram le ofrecen desgastadas monedas de oro, hongos mágicos, zapatos de mujer con suela de corcho, Lamotrigina, DVDs de Holly Michaels (la cosa se ha puesto peligrosa ahora que la máquina ha descubierto los *deepfakes*: debe evitarla). En un canal oficialista hay una entrevista a Amparo, la hija del Compañero Presidente: menciona indignada el montaje en el que la han hecho aparecer con el cuerpo de una actriz porno, la falta de respeto de la oposición a su privacidad, pero dice que no se siente una víctima. Señala que hay cibercrímenes más graves que el suyo, como el de ese cantante que junto a sus amigos violó a una fan e hizo circular lo filmado por sus grupos de *wasap* (la chica se suicidó), o el del exnovio de una universitaria en Montero, que la acosó mandándole los videos privados que habían filmado cuando estaban juntos y amenazándola con hacerlos circular si no volvían (no volvieron, y los videos circularon). Dice que darán con el responsable de su *deepfake* pero que la cosa va más allá de una persona y que hay que cambiar el sistema. Será candidata a la Asamblea Legislativa en las próximas elecciones; si sale elegida propondrá una ley contra el acoso y la violación virtuales, elevándolos al mismo rango que el acoso y la violación reales. Termina mirando a la cámara y pronunciando la frase-estribillo: *mi vida no es tu porno.*

A Rai le cuesta procesar la información. No cree que ningún diputado tenga suerte regulando las redes, pero se preocupa al descubrir que su *deepfake* de la doctora Cosulich es tendencia en BoliviaXXX y ha sido visto por más de mil personas: está alcanzando masa crítica, eso significa que le puede llegar pronto a su *wasap* y también al de alguien del laboratorio. Decide bajarlo: no quiere sustos.

El micro lo deja cerca de la plaza principal. Un resplandor inusual ilumina las paredes de las casas, las plazas y jardines; los árboles lucen anaranjados y amarillos donde debiera estar el verde y adquieren tonalidades brillantes. Sus raíces levantan del suelo las baldosas de las aceras: una insurrección de la tierra. Está sensible y baja la cabeza, respetuoso.

Fumigadores de la alcaldía recorren las calles. Con sus uniformes blancos se le antojan llegados del futuro. Pero la unidad se parte: los árboles son del 2043, delante de él hay una casa quebradiza del 1956, y él trata de aferrarse al presente pero se resbala. Así con todo: no hay dos puntos en el espacio que coincidan en el tiempo.

Cierra los ojos con la esperanza de recuperar la unidad al abrirlos. No sirve de nada. El tiempo se triza aun más. Debe continuar. ¿Hacia dónde va su flecha?

Se ve ingresando a una fiesta con una botella de vino tinto en la mano. Sus colegas de la facultad se alegran de que se haya animado a venir. Uno de ellos le presenta a una de sus alumnas: Tania, mucho gusto.

Saca fotos en modo Timeline. Captura la plaza Nataniel Roca con el año 1973, se sorprende del barro que la rodea, el carretón uncido de bueyes a las puertas de la iglesia, la flamante estatua del prócer cagada por las palomas. Se desplaza a 2028: los árboles han desaparecido. Este celular se va a lo seguro.

Es cierto: también la tecnología tiene visiones. Proyecciones que trascienden el sentido de la vista y recubren el cuerpo. ¿Cuál oráculo lo afecta más? ¿El de la planta, cuya lógica desconoce, o el de la tecnología, cuya lógica debería entender pero que, al ser elevada a la máxima potencia por pura fuerza bruta, se convierte también en un misterio?

Cerca del mercado, en la pared lateral de un edificio, un mural de Amarildo. Que otros lo busquen a él en el mural, como hace Sánchez; él está detrás del predicador huesudo y lo encuentra en la esquina superior izquierda de la pared entre mujeres serpiente. Le tranquiliza encontrarlo: no toda la realidad es movediza.

Compra una bolsa de manzanas rojas, pequeñísimas y manchadas, y se descubre preguntando por Raulito entre los pasillos. No está por ninguna parte.

–Se ha ido con gente como él allá al otro lado –le cuenta la sandwichera revolviendo los tomates y las cebollas con sus manos de dedos regordetes–. Se lo llevaron sus padres en una *voadora.* Lo agarraron por sorpresa una madrugada, dormía y lo cargaron. Chillaba, pataleaba, nada pues. Pobre Raulito. Aunque no sé. Puede que sea lo mejor para él. Si tiene el desorden mejor que esté con gente igual, ¿no?

–Supongo –responde sin mirarla, confundido por la noticia.

–El Raulito estaba así desde hace tiempo ya –dice sin dejar de cortar los tomates y las cebollas, mezclándolo todo en una palangana–. Abusó de la plantita. Su papá alcalde de un pueblito de por aquí cerca llegó a ser, ese que lo tuvieron que trasladar por culpa de una inundación. Luego al papá lo arrestaron, era pues narco y parte de un negocio de trata de niñas, de diez, doce añitos, así, y el Raulito se quedó vagando por las calles. Su desorden bien grave es.

–¿Desorden?

–Un desorden que se llama el Desorden. No puede dejar de ver cosas. Ni dormido ni despierto. ¿Nadie le habló de eso?

–Alguna vez lo mencionaron, pero sin darme detalles.

–Es que es bien raro. A muy pocos les pasa, pero les pasa.

–¿Abusó de qué plantita?

–Sabe a cuál me refiero, joven. Todo depende de cómo se la use. En general es buena. Dicen que más allá de Rio Vermelho hay una comunidad de pura gente como el Raulito.

Rai se pregunta qué cosas ve Raulito que nadie más ve.

–Yo tenía un tío al que le pasó lo mismo –continúa la sandwichera–. El desorden es como estar soñando despierto. Un sueño que nunca se termina. Usted puede estar viendo mi cara pero también puede estar viendo al mismo tiempo un bufeo junto a mi cara. O una capibara.

Él piensa en la comunidad del desorden en Rio Vermelho, en la gente que vive allá, unida para enfrentarse a un mundo intolerablemente vívido que superpone versiones imaginadas a las reales.

–Dicen que Alto Espírito, así se llama la comunidad del desorden, es bien seria –se limpia las manos con el mandil manchado–. Que pagan a un médico para que esté de turno todo el tiempo, que los pacientes tienen revisiones semanales y a algunos que se mejoran les dan permiso de marcharse pero están tan bien atendidos que no quieren moverse.

Un chapi con cola en forma de tirabuzón le huele los zapatos al salir del mercado. Él le hace cariños, el chapi le muestra los colmillos y lo hace escapar.

En la mototaxi de regreso al laboratorio se ve acercándose a Tania a pedirle su teléfono antes de irse de la fiesta.

Rai lee en la red sobre el desorden. No hay mucho. Testimonios personales, ningún estudio científico. Parece ser la versión local de un desequilibrio de la percepción causado por el uso de alucinógenos. Se diferencia de los *flashbacks* del ácido por su persistencia.

Está casi seguro de que tiene el desorden. También cree que casi todos los voluntarios lo tienen. Y si no, caerán pronto.

De verdad que está lento.

Debe tratar de tomárselo con calma. Hablará con doctores a su regreso a Cochabamba, aunque intuye que esto los superará.

Valeria y Sánchez pasan por su estudio preocupados porque no ha aparecido para controlar a los voluntarios. Rai les pregunta por Yimi: no hay rastros, responde Valeria con un tono agresivo que no le conoce. Mientras habla su mirada recorre el estudio, como si estuviera buscando pistas para incriminarlo.

–¿Y Dunn?

–No parece muy preocupado, sorprendentemente.

Rai les pide disculpas por no haber aparecido; ha estado con dolor de cabeza, la nueva versión de la alita es muy fuerte.

–Quizás haya que dejar que pase más tiempo entre las tomas. O poner un límite de tres meses a los voluntarios.

–No creo que sea necesario, Rai –dice Valeria–. Vos hacé tu trabajo y punto. El doctor dice que con una versión más acabamos.

Rai se confunde por unos segundos: ¿está hablando de mí? Luego les pregunta si saben de una comunidad llamada Alto Espírito.

–Fui una vez llevando donaciones, comida, juguetes con mis amigos de la comunidad –dice Valeria, molesta pero curiosa–. Un lugar con una vibra extraña. Setenta personas frente a un altar vacío, escuchando el sermón de alguien que yo no veía pero ellos sí. Qué hermoso el hermano, me decían, y yo asentía. Todos alucinando juntos como si fuera lo más normal. ¿Por qué me lo preguntás?

–¿Verdad entonces que ven visiones todo el tiempo?

–De otro modo no llegás a vivir ahí. Dicen que no solo ven visiones sino que pueden llegar a dominarlas, interactuar con ellas, convertirlas en parte de su realidad, incluso compartirlas.

–El chico del mercado, Raulito. Dicen que se lo llevaron allá.

–El famoso Raulito –dice Sánchez–. No me extrañaría. Tiene el cerebro quemado hace rato.

–Y la mujer de Juan Gabriel, del chamán... también tiene el desorden, ¿no?

–Dicen que es la plantita pero no lo creo porque ella no inventa nada, solo descubre lo que hay en vos –replica Sánchez–. Los que tienen el desorden lo tenían antes de probar la plantita. Pero sí, hay una que otra gente por aquí.

–Si no es la plantita, ¿qué es?

–En las beneficiadoras usaban agentes tóxicos ilegales –Sánchez parece estar a la defensiva–. Hay ríos contaminados con todo lo que vaciaban. La gran mayoría de los voluntarios viene del mundo de las beneficiadoras, de las madereras. Como

Alvarenga. Es cuestión de la superposición de esos mundos. Las visiones de la plantita pueden ser de efecto retardado.

–Suena raro. ¿Y no han pensado que... los voluntarios, ustedes, tú mismo, podamos estar con el desorden?

–Rai –dice Valeria, enfática–, te pido que no exagerés. A nadie le sirve el alarmismo, deberías enfocarte en otras cosas, sabés a qué me refiero. Las visiones persistentes que te preocupan, esas que aparecen mucho después de la toma, son un típico efecto de la alita. Bueno, un poco más intensas de lo normal por el preparado del doctor. Pero por lo que entiendo el desorden es de otro nivel. Algo permanente. No podrías estar hablando conmigo mismo ahora, concentrarte. Estarías viendo pájaros revoloteando en mi cabeza, qué sé yo.

–Es que los veo. Bueno, pájaros no. Imágenes extrañas. Algas doradas. Amebas gigantes. Fractales movedizos. A veces sueltas, otras se articulan en historias. No se ha investigado esto, ¿no? No sabemos nada del susodicho desorden. Puede que no sea necesario tenerlo todo el tiempo para tenerlo. Puede que haya gradaciones.

La defensa de Valeria y Sánchez es circular: no lo tenemos porque no lo tenemos. A Rai le queda claro que a pesar de sus dudas con el experimento son incapaces de rebelarse. ¿Como él? Se descubre alerta por un rato. Le preocupa, pero tampoco sabe si tiene fuerzas para oponerse.

Valeria y Sánchez salen del estudio, él los sigue.

Esa tarde imagina la primera salida con Tania: ella con un vestido azul floreado, él con una camisa de manga larga que le queda estrecha. Ella bromea: solo te falta la corbata. Él le habla en la cena de experiencias extracorporales, ella le cuenta que su compañía ha decidido crear una etiqueta de "marca de vida sustentable", enfocada en apoyar una preocupación social o ambiental.

Su madre quiere hablarle y se esfuerza por evitarla. Las comunicaciones están mal, mamá, llueve un montón. Logra contactarlo por Skype. Dos de sus muchachas se han pasado a las Chicas Fit y quiere hacer un calendario para reactivar Promociones Delia, pero le han dado una cotización altísima. Hay en él un momento de confusión: ¿Chicas Fit? Se recupera:

–¿Y cómo te sentís?

–Ya estás hablando como camba. Te dejo solo un minuto y no puedes con tu carácter. No sé qué haré. Para colmo fui a un canal y la periodista me dijo que me veía cambiada. Sé lo que pensaba. A todos nos llega pero no se lo deseo a nadie. Me han llegado los años, hijo.

–No digas eso, mamá, estás guapita. Lo importante es cómo se siente uno y tú estás bien. Ya quisiera la gente tener tanta energía a tu edad.

–No me vengas con tus consuelos tontos, hasta en eso me has salido mal. Cambio mi energía por menos arrugas. Es que es tan linda la belleza. ¿Y tú cómo estás?

Es que es tan linda la belleza: eso es metafísica popular. Rai tiene ganas de preguntarle cosas sobre lo que vio y escuchó y se esforzó por *desver* y *desescuchar* para preservarla.

–Todo bien, mamá. Con ganas de volverme.

–Es que te dije. No hay nada en esos pueblitos, aburridos

como chupar clavo. Una vez pasé diez días en San Ramón y casi muero. Íbamos a tomar leche al pie de la vaca en las madrugadas, eso era lo más interesante. En San Joaquín un tipo se me tiró encima. Hay cada hombre.

Rai la escucha y le dan ganas de blandir su acusación. Quizás no sea el momento. Quizás nunca lo sea.

Antes de dormirse Rai recibe un *wasap* de Sánchez pidiendo que le cuente más de los *deepfakes.* Rai le pasa enlaces a 4chan. Sánchez le escribe media hora después:

pensé q costaba hacerlos & resulta q
UNA app basta

una basta pero cuesta q salgan perfectos

vos sabés hacerlos no? Me mostrás?
me enseñás

Lo tienta mostrarle algunos. Pero, ¿no se meterá nuevamente en un lío? ¿No aprendió la lección? ¿Es Sánchez de confianza?

con los links que te envié podrás hacerlos
por tu cuenta
tú mismo lo has dicho no es difícil

con que esas tenemos querido sabrás
que aquí uno se entera de todo

Ricardo soy un hombre nuevo
por algo me contrató el doctor
cambiemos de tema y no me compliques

Esa noche Rai no puede dormir bien.

A veces escucha pasos a sus espaldas y al darse la vuelta descubre al Gigante, su versión efímera del Gigante. Se afeita en el baño y aparece reflejado en el espejo, el gesto burlón, la polera de Judas Priest. Le pregunta por los padres de Alvarenga pero no le responde. Una mañana ve su machete a la cintura y recuerda haber visto una imagen similar hace poco: la del chamán en el anuncio de una agencia turística cerca de la plaza principal. No está seguro de que esa imagen haya inspirado la creación del Gigante, pero eso le hace pensar nuevamente que el Gigante nunca existió y que la historia de Alvarenga está poblada de mentiras o quizás es toda ella una mentira.

¿Importa? Igual el Gigante ahora lo visita seguido y se estremece de solo verlo.

Experimentan con la nueva versión. Dunn dice que en unos días pasarán a una versión incluso más nueva, con la que cerrará la etapa de pruebas, pero Rai se ha prometido irse antes de que eso ocurra. Le habla del desorden y no llega lejos. El doctor menciona neurotransmisores inhibitorios sensibles, anomalías, nada imposible de generalizar. Rai intenta verle el lado positivo. Puede que hasta sea un don, piensa.

A Dunn se lo ve entusiasmado y eso contagia. Sabe quién se ha robado a Yimi y ha perdonado a esa persona, es por una buena causa, dice. No habla mucho de Tania o de sus hijos; Rai le ha escuchado decir que puede imaginarlos en Manaos o quizás una floresta protegida y que cuando menos lo sospechen les caerá: no se resigna y quiere que sepan que su paciencia es infinita. A Rai lo visita una sensación incómoda cuando escucha sus palabras, de tristeza y desolación ante la pérdida.

–Será la última –Valeria agita las manos–, con estos datos tendremos material suficiente.

Lo que viene le preocupa a Rai. En la última prueba ha aparecido en un par de voluntarios un personaje que les provoca pavor. No pueden describir su rostro porque lo tiene borroneado, pero es alto y lleva un machete a la cintura. Lo ven internándose en la selva, dando órdenes a su gente, latigueando a los indígenas.

Ese personaje es su versión del Gigante, piensa. Como la suya. Alvarenga no era el único. Simplemente fue el primero. Su delirio con la alita los contagió. ¿Pueden soñar todos lo mismo? No resulta disparatado pensar que sí. En la taxonomía de la alita hay varias imágenes que se repiten. Los pumas. El deseo de volar. Los palacios. Figuras que la máquina convierte en patrones caprichosos en su intento desesperado por replicar el delirio.

Ellos no miran. La alita mira por ellos. La planta es la reina de la floresta y su vida se dispersa en ellos. Como los gusanos que siguen viviendo después de ser cortados en dos, el alma vegetal se divide y se comparte.

El Gigante no estaba clasificado en esos sueños. Es propio de estos voluntarios, de este lugar, de este experimento.

¿Hay algo en el aire que provoca que aparezca el Gigante?

El Gigante es una memoria inventada. El asunto es si fue creado de la nada o lo inspiró algo real.

Dicen que la alita dice la verdad. Esa no es toda la historia. La alita también miente. Rai se anticipa a la respuesta de Valeria y de Sánchez: en sus mentiras, también dice la verdad.

Busca en las redes el nombre de su hermana. No lo encuentra.

Le tienta escribirle a su padre. Viene a Cochabamba cada tanto pero no se reporta, una vez lo encontró en una salteñería del Prado y quiso disculparse por no haber llamado. Después de la separación se fue a Uyuni a montar un negocio. Ha hecho todo por mantener su distancia. Su madre le dijo que no era casual: ella le había prohibido contactarlos. Rai no estaba en desacuerdo con esa decisión; de hecho, prefería tenerlo lejos de su vida. De todos modos, se le había despertado algo de curiosidad.

¿Y ahora, qué hará con su madre cuando regrese?

Esa tarde se imagina yendo al parque Vial con Tania. Se aburre de ver a Camila y Manu subir y bajar entre el armazón de cubos de plástico. Poco después se da cuenta de que no tiene mujer ni hijos.

Descubre una oficina de derechos humanos cerca de la plaza principal y se acerca a contarles de la situación de un grupo de familias indígenas esclavizadas por sus patrones en el monte. Eso, al menos. Los hacen trabajar en la cosecha de la castaña y los endeudan de por vida. Menciona a un indígena escapado de allí que puede servir de testigo; les da el celular de Alvarenga. Después de hacerlo siente que ha traicionado al Gigante y a don Nataniel, pero debe ser capaz de mantener sus nuevas convicciones (a ver cuánto duran: es experto en dinamitarlas para volver a aquello viejo e incómodo pero seguro de tan familiar).

Una mujer le trae un mapa para que le señale dónde ocurren los abusos, cerca de qué población. No sabe qué decirle y está tentado de mentir. Le pregunta cuántas familias están en esa situación y se inventa un número: ciento cincuenta. Le dice que puede describir al capataz y dibuja al Gigante en una servilleta; el Gigante está ahí delante de él, al lado de la mujer, y no le cuesta captar su rostro inmaterial en unos trazos. Hay un instante en que siente que todo es una representación, una mentira que apunta a una verdad. Incluso si es cierto, todo eso ocurrió una década atrás y quizás el Gigante ya no exista.

La mujer le agradece con efusión mientras observa de reojo su celular, verá qué pueden hacer. Según el CEDLA hay seiscientas familias guaraníes en esa condición en el sudeste del país y más de mil en torno a la cosecha de la castaña y la explotación de la madera. Hablarán con Alvarenga, lo mantendrán informado. Le pide su nombre y su teléfono. Él le da su número y le dice que pregunte por el doctor Dunn.

Le tienta contarle del desorden. De las pruebas mal hechas en un laboratorio. Pero es parte del equipo y terminará arrestado como los demás. Debe pensar mejor qué hacer al respecto. Ahora que está fuera, ¿tomar un taxi al aeropuerto, comprar un pasaje y ya?

No es fácil. Nada es fácil. Debe ser responsable ante su gente.

Sale de la oficina sin saber si ella lo ha tomado en serio del todo.

Después de entrevistar a Aimara y someterla nuevamente al test de apercepción múltiple decide que no formará parte del grupo de voluntarios para la última prueba. Ese será el favor de despedida que le hará. Mitigará la posibilidad de que la afecte el desorden.

Está trastornada, agresiva con él y con Sánchez. ¿Cómo no? Se ha quejado de dolores de cabeza y ataques de náusea. Aimara y los otros no han estado dejando pasar al menos una semana después de cada toma. Esos errores no deben repetirse.

Aimara se acerca a la oficina a pedirle que la deje participar en el nuevo experimento.

–Necesito el dinero –dice, la voz urgida–, para pagar un tratamiento a mi madre.

De paso menciona que no es justo que les paguen por cada participación, debería ser por semana o al mes. Él le da la razón en ese tema, hablará con la doctora. Ella le dice que el doctor Dunn le ha prometido un dinero extra por cada visita al juego.

–Nos está saliendo bien... el juego –dice él–. Lo habrás notado.

–Es muy inmersivo. El otro día fui el doctor Dunn. Qué cosa más rara, ser hombre.

–¿Y cómo te fue siendo... el doctor Dunn?

–El doctor me dijo que no dijera nada, que es confidencial. Me dolió la cabeza harto, eso no me gustó.

–¿Y no has recibido ofertas raras por internet?

–Me aparecieron anuncios de un partido nuevo en contra del aborto. Cosa rara, porque yo... bueno, no hablemos de eso. Y ayer estaba leyendo *El Deber* y me salió la propaganda de unas muñecas que ya no se consiguen de mi infancia. ¿Cómo supieron que las coleccionaba? Me asusté. No se lo dije a nadie últimamente.

–Quizás las soñaste –Rai se pregunta si esos anuncios del partido son un *glitch*, parte de un prejuicio instalado por los ingenieros en los algoritmos de la compañía, o algo más consciente, una campaña explícita de los dueños de Tupí VR para moldear la conducta de los usuarios. ¿Y los anuncios de medicamentos que él recibe? No podrá acercarse a la verdad; solo sabe que el juego está trabajando en sus cerebros.

–Eso sí, días atrás, soñé que era una de esas muñecas. ¿Y, doctor, podré participar?

–No estoy seguro. Tendremos que seguir los canales adecuados. Un test, una entrevista y veremos.

Aimara insiste, amenaza hablar con Dunn si no la incluye. Él se esfuerza por no ceder pero termina haciéndolo.

Cuando los voluntarios están perdidos Rai charla con Yesenia y espera que ella se vaya pronto para poder quedarse solo con ellos. Él le dice que extraña a Yimi. Yesenia le guiña y le responde que se encuentra segura de que Yimi está bien, muy bien, mejor que nunca.

Una vez solo, Rai observa a Aimara por la puerta entreabierta de su cubículo. Está sentada en la cama con las piernas cruzadas; la pulsión es fuerte, pero él piensa en su hermana y en la alita.

Pasan los segundos. ¿Podrá?

Pasan los minutos.

La filma procurando no hacer ruido.

Rai ingresa al cubículo y ella lo mira como si no lo conociera. Se acerca a levantarle la falda y deja un muslo al descubierto. Lo toca, comprueba su firmeza. Va bajando la mano, abre un espacio entre la piel y el *hipster* negro de algodón. Ella reacciona y lo empuja entre chillidos. Su espalda golpea contra la pared.

Sánchez aparece en el umbral. Su rostro no disimula la sorpresa al ver la escena.

–Tuvo una mala reacción –Rai recupera la estabilidad, se para como si no hubiera ocurrido nada–. Quería sacarle una foto y se molestó. Estaba intentando calmarla.

–Él, él –solloza Aimara apoyada en la pared, señalándolo–. Ustedes… el enemigo.

Empuja a Sánchez como si lo desconociera. Él la agarra de las manos, trata de tranquilizarla, le pide a Rai que se retire. No hice nada, dice Rai. En serio. No la toqué.

–Luego hablaremos.

¿Y si él es la emergencia? ¿Quién controla lo controlado si el controlador está descontrolado?

Anota: *lo q acabo de escribir no tiene sentido.*

Mañana lluviosa de reunión con los nuevos voluntarios. Alvarenga se marcha hoy gracias a las gestiones de Rai; este le ha pedido que hable con los voluntarios y les cuente su experiencia antes de partir. Están con ellos el doctor Dunn, la ingeniera informática y un ejecutivo recién llegado de Tupí VR. Dicen que la primera etapa de pruebas terminará pronto y a algunos del nuevo grupo se les ofrecerá la posibilidad de probar la encarnación virtual, para que puedan comparar sus propias experiencias con la alita con las que ha estado creando la máquina a partir de la información de los voluntarios.

Rai cree que Tupí VR ha debido refinar su algoritmo de extracción de datos y necesita probarlo con más gente. Entiende la jugada: la compañía cree que uno no es solo lo que es sino lo que quiere ser, los otros yos en potencia que uno es o ha dejado de ser y que se manifiestan en el juego. En el juego uno nunca *es* el doctor Dunn; uno es uno jugando a ser una versión del doctor Dunn lograda de la manera más científica posible. Tupí VR podrá ofrecer a los interesados datos de los jugadores que tomen en cuenta esas otras versiones del yo. Un modelo complejo e inestable del yo, con aplicaciones concretas: uno hace mil cosas basándose en esas fantasías.

Él, Rai, ¿a quién juega cuando hace *deepfakes*?

En las paredes a la entrada del galpón fotos ampliadas en

blanco y negro del árbol de la castaña y sus cosechadores, y de camiones enfangados en caminos de tierra convertidos en pantanos, que decoraban las oficinas de la beneficiadora en la que trabajó Valeria. Rai está a cargo de una batería de pruebas para escoger cinco candidatos para la nueva ronda de experimentos. Les dará el test de apercepción temática. Lo asombra la inocencia de sus rostros, la ingenuidad de sus comentarios. Tiemblan las manos de Alvarenga al ver a Dunn, pero se las ingenia para pronunciar un discurso en el que menciona lo bien que les harán las pruebas y la importancia de su labor, un paso adelante para que todo el país se beneficie de una tradición ancestral. Dice que duerme mejor desde que ha terminado su período de experimentación y que extrañará el laboratorio. Sus palabras batallan con el golpeteo de la lluvia en el techo de calamina, a ratos se pierden.

Antes de continuar con los voluntarios Rai acompaña a Alvarenga a que saque sus cosas; lo espera Sánchez para llevarlo a la terminal de buses. Ingresan a un recinto de camas alineadas una tras otra, la sala de los hombres, el lugar, quizás, donde alguna vez durmieron quienes trabajaban en la beneficiadora, espectros que desfilan ordenados por los pasillos entre las camas y se duchan antes de salir al sol que ciega en el patio.

Las pertenencias de Alvarenga están en un bolsón de lona al lado de la cama. Un dinosaurio de peluche sobre una caja de manzanas que sirve de mesa de noche. Rai le entrega una carpeta con copias de imágenes producidas a partir de información extraída de su cerebro: el rostro del Gigante, una grulla en un manglar, un animal cruza de perro y gato, una mesa poblada de larvas de insectos.

–Gracias por tus palabras, no tenías que haber exagerado tanto.

Lo abraza, sus huesos en la piel de Rai. El abrazo se prolonga y Rai no sabe qué hacer: es un refugio incómodo para él.

–Les debo mucho a ustedes, doctor. El dinero será para mis viejos.

Se separa. Rai extraña el contacto.

–¿Y el Gigante ha vuelto?

–No se va –lo agarra de la mano–. A ratos siento alguien me persigue. Uno de sus capataces, lo ha mandado para buscarme. O él mismo. Me doy la vuelta no hay nadie, se ha escondido detrás de los árboles, detrás de las paredes. Me digo debe ser mi impresión. Pero igual. ¿Qué si no desaparece? ¿Qué si empeora?

–No pasará nada. Mantenme al tanto de cualquier cambio, incluso el más leve.

–Cuídelos –le dice sin soltarle la mano–. ¿Vio la foto de uno de los cosechadores en el galpón, ese sin dientes? El administrador nos contó le cayó un castaño en la mollera mientras cosechaban. Llegó a escuchar el ruido de la caída y puso su machete sobre la cabeza para protegerse. El castaño cayó con tanta fuerza que hundió el acero. El cosechador sobrevivió pero no volvió a ser el mismo. Dicen hablaba chueco, las palabras no paraban de salir de su boca pero nadie le entendía nada. Me da tanta pena. No sé por qué pero me recuerda a mi viejito. Ay dónde estará él. Si estará todavía.

Rai lo abraza y le dice que todo estará bien, es cuestión de paciencia.

–¿Unas palabras de despedida? A mí se me ocurre algo: colla 'e mierda.

–No era nada personal, doctor. Va a disculpar.

Intenta besarlo y Rai no se deja. Se apuran. Alvarenga promete seguir en contacto.

Rai no está seguro de que sea una buena idea pero no le dice nada.

En su celular ha aparecido el anuncio de un lote en venta en Tiquipaya. Rai supone que la red neuronal de Tupí VR ha logrado extraer de su cerebro el nombre de Miss Tiquipaya. Nuevos anuncios de remedios contra la epilepsia: todo tan confuso. ¿Para él o para el doctor o para los dos? Imposible que sea para él, los síntomas serían obvios. El doctor tampoco parece enfermo. ¿Algo más azaroso que no tiene que ver ni con Tupí VR ni con ninguna de las compañías que usan su información privada?

En el celular también le han ofrecido películas clásicas en YouTube, *Tarzán* y *Viaje al centro de la Tierra*. Hay varias versiones de esa película y le han sugerido la de 1959 con James Mason, que vio en la tele una tarde lluviosa de su infancia. Esos detalles habían salido a flote gracias a la alita, pero, ¿cómo pudo haberse trasladado la información de su viaje lisérgico al celular? Tenía que haber sido la máquina, pero no sabía cómo. De lo que está seguro es de que es más potente de lo que creía: como la mano mecánica de una excavadora, ingresa a esos lugares nebulosos del cerebro donde anidan los sueños y moran astillas de recuerdos olvidados, para sacarlos a flote y convencerlo de la urgencia de poseer un objeto, hacer un viaje, votar a un candidato. La máquina es un jugador de ajedrez retroactivo, puede proyectarse muchas jugadas hacia atrás y vende información personal a partir de esa promesa. Rai imagina a Tupí VR expandiéndose desde el videojuego, ofreciendo canales de *streaming*, *apps*, redes sociales y tiendas virtuales que exploten la idea de los múltiples yos en potencia.

Apenas vuelva a Cochabamba buscará un técnico que le enseñe cómo encriptar todos sus correos y sus datos.

Nueva invitación del doctor al galpón. Rai se lo piensa antes de aceptar. Tarda un par de horas y claudica.

–Es la parte más complicada para mí –dice Dunn, al que Rai nuevamente nota ojeroso y con las patas de gallo marcadas. Son días tristes, ha estado recordando a sus hijos. A veces se enfunda el buzo solo para verlos, estar con ellos algunos minutos. También ha probado la alita con la esperanza de que ella los traiga a su lado durante el viaje. No siempre funciona.

–Esa es la diferencia entre la alita y la encarnación virtual: las visiones de la alita son caprichosas, mientras que en la encarnación virtual puedo ver siempre a mis hijos. El problema es que la encarnación virtual te quema el cerebro y es difícil aguantar más de una hora sin que te den náuseas. Estamos en la infancia de esta tecnología. En cambio a veces una visión de la alita puede ser tan potente que se queda para siempre en nuestra realidad. El chamán de una comunidad en la que viví un tiempo era tan experto en esas visiones que hasta podía interactuar con ellas. Veía a jefes indígenas, a su madre muerta, les preguntaba y le respondían.

–Imagino que para eso hay que llegar a un estado de sabiduría y desprendimiento muy altos –dice Rai.

–Por lo pronto yo me contentaría con que las visiones que tengo de mis hijos se queden conmigo para siempre. Eso es lo que estoy buscando pero no depende de mí sino de un poco de suerte. O mala suerte, según algunos.

Rai asiente. Como Raulito, piensa. El loco ese que no paraba de hablar en el mercado.

Divaga mientras se enfunda el buzo. No ha visto dónde prepara la alita. Tampoco sabe nada de la infraestructura tecnológica. Ambas cosas son mágicas: producen resultados, pero no sabe mucho del lenguaje de programación o la técnica ancestral del compuesto. Como casi todos, es analfabeto en los modos del mundo.

Los primeros movimientos son para que sus piernas y brazos se encarnen en el avatar. ¿Quién es?

Una mujer y una niña juegan en un parque. Reconoce a la niña: es Camila. No siente la cercanía de antes. Se sube a un resbalín. Los rayos del sol brillan en su cabellera castaña con una cinta azul en la frente. Se acerca a la mujer. Ella lo toma de la mano y lo besa en la boca. Él se suelta incómodo: pueden vernos.

La piel de la mujer adquiere una textura verdosa y vegetal. La luz resplandece en las ramas que le han aparecido por el cuerpo. No hay patrones caprichosos en las ramas y eso lo ayuda a relajarse.

No puede contenerse y toca la piel de la mujer. Su textura lo contagia, va convirtiéndose en una planta rugosa, llena de liquen, por la que discurren hormigas y arañas. Las dos plantas se entremezclan. Camila se les acerca. Dice algo pero no la escucha.

El suelo se raja a sus pies y él duda, por la forma en que se imprime en su cerebro la encarnación virtual, si lo que ve es parte del juego.

Una oruga gigante y gelatinosa se arrastra cerca de él. El buzo está lleno de una sustancia viscosa. Los segundos se hacen elásticos. Quiere salir y golpea el casco.

El juego se termina. Las luces se apagan. El doctor Dunn se acerca y le quita las gafas. Está temblando.

–¿Era… era él?

–¿Estás bien? Comenzaste a gritar como loco.

–Creí que era el juego. Creí que. Es que ellos sí. ¿Ellos qué?

–Tranquilo, ya pasó. Ya no están ni la alita ni la máquina.

–Fuiste el maderero. Fui el maderero.

–Pero no por mucho tiempo. Me falta información sobre él, hay que tratar de representarlo de otra forma.

–Y luego fui… ¿una planta? ¿La alita?

El doctor le alcanza un vaso de agua y espera que se recupere.

–Quiero ser imparcial –dice–. Entender qué pasó con ella. Qué la atrajo. Por qué se fue. De eso iba lo que te mostré. No quiero que él sea él. A eso no podré llegar. Hay que buscar otros caminos. Estoy tratando de escuchar a la planta, y a veces habla con frases herméticas. Imágenes que son adivinanzas.

A Rai le duele la cabeza. Quiere regresar al estudio, echarse. El poder multiplicado de los delirios lo ha abrumado.

–A mí también me habla –dice al fin–. Y lo que me dice no es muy agradable.

–Lo sé. La mirada de la planta es importante pero la voz lo es más.

¿Debería contarle cosas? ¿Del Gigante? ¿De don Nataniel y los suizos? ¿De Karina? ¿De sus incursiones con las voluntarias? ¿Del fundido a negro, el sonido a destiempo, las voces que no salen de las bocas, las imágenes superpuestas?

–Algún día la máquina nos permitirá experimentar cómo sienten las plantas –dice el doctor–. Falta. Por algún lado hay que comenzar.

Al salir del galpón Rai piensa que Dunn lo presenta todo como natural pero quizás es el que más delira. Luego se pregunta qué esconde ese delirio.

Sánchez le pide a Rai que lo acompañe al barrio de Juan Gabriel Muri. Pasará a buscar a su madre para llevarla al banco a cobrar su renta. Rai está indispuesto y ansioso, no ha dormido bien, perseguido por imágenes violentas, pero no le puede decir no. Sabe que Sánchez ha seguido intentando con Yesenia pero que ella ni siquiera le dirige la palabra. Eso lo tiene de mal humor.

El barrio es el asentamiento ilegal a las afueras de Villa Rosa. Sánchez le cuenta que los primeros paisanos que llegaron invadieron el descampado que pertenecía a una fábrica de cerámicas. Intentaron sacarlos, pero fueron llegando otros y construyeron sus viviendas de barro.

–Viven aislados. A algunos los hemos tenido de voluntarios pero la gente no les quiere dar trabajo. Dice que roban y son unos indios sucios. Yo trato de ayudarlos en lo que puedo.

Un grupo toma cerveza junto a un algarrobo. Los saludan a gritos, preguntan si han traído condones. Sánchez sonríe: no deberían estar tomando tan temprano. Queremos condones, chillan a voz en cuello. La próxima, dice Sánchez, y les presenta a Rai. Le preguntan qué les ha traído. Sánchez abre una bolsa: galletas, fideos, latas de durazno al jugo. No les impresiona. Sánchez les entrega colchas, eso sí les gusta.

Discuten de porno entre risas. Recomiendan un sitio que

actualiza seguido; Sánchez les dice que el porno gringo de plomeros y tetonas no le llama la atención.

–Tienen que ver el japonés. Busquen porno tentacular y hablamos –lo miran asqueados–. Muy gelatinoso, no deja orificio libre.

–Prefiero el con máquinas –dice Rai–. Sillas Sybian, vibradores, *sexbots*, y los que se pueden armar gracias a la tecnología, como los *deepfakes.*

–He leído de los *deepfakes* –dice Sánchez–, no sé si me excitarían.

–¿Quién dice que son para excitarse? –pregunta Rai.

–Algún rato me lo tendrás que explicar con calma.

Unos chicos aspiran clefa cerca de una Brasilia comida por la herrumbre junto a la carretera. Se los nota aturdidos, algunos caminan como borrachos. ¿De qué calidad serán sus alucinaciones? Un gordito pregunta si le pueden dar trabajo. Sánchez le dice que se presente al laboratorio. Le menciona a Rai que no es fácil que se queden pero igual quiere seguir intentando. Sánchez les sugiere a tres más que se presenten temprano al día siguiente. El gordito le pide que le prometa que no le harán daño:

–He escuchado cosas feas del laboratorio pero confío en usted.

–Menos mal –se molesta Sánchez–. Qué mala leche en este pueblo.

–Aquí encontramos a Alvarenga –le comenta a Rai–. Los de su comunidad son pocos y a veces se juntan con paisanos de otras comunidades.

La realidad de Rai pierde color de golpe. Sánchez y el grupo aparecen en blanco y negro. Un ruido de estática lo ensordece. Se da un sopapo en una mejilla, como tratando de despertarse. Fundido a negro. Está ciego. Escucha un susurro: *querido Raimundo soy un hombre de negocios y necesito su asistencia vivo en la república de Bolivia y soy asesor del rey del caucho don Nataniel*

Roca me han dado veinte millones de libras para comprar armas y enfrentarnos a los invasores debido a la incertidumbre política necesitamos un hombre de confianza en el exterior que nos ayude aunque no nos conocemos creemos que usted es el hombre indicado indicado indicado cado cado do do do.

Vuelven la imagen y los colores. Desaparece el susurro. Lo ganan las arcadas y le pide a Sánchez que lo espere. Corre detrás de un árbol y se vacía.

–¿Necesitas ayuda?

–Con un Bacterol me pondré mejor.

Rai prefiere no decirle nada. Ya no sabe en quién confiar.

Se despiden del grupo y caminan por un pasillo entre las viviendas. Rai trata de recuperar la compostura. Un perro le lame los zapatos. Tres chicos juegan con una pelota. Una niña con un vestido verde salta la cuerda. Deslumbra su agilidad, el golpeteo rítmico de la cuerda en el suelo, el chasquido de látigo, y también marea.

–Siete por tres –dice Sánchez al pasar a su lado.

–Veintiuno –responde la niña sin perder la concentración.

–Ocho por nueve.

–Setenta y dos.

–Doce por doce.

–Ciento treinta y seis.

–Es mi esperanza –dice Sánchez mientras le aplauden–. Su madre nos contó que la maestra de la chica la llamó para reñirla porque estaba adelantada con la tabla de multiplicar. Tiene que estar al nivel de los demás, dijo.

Llegan a una casa con puerta de calamina. Los recibe Juan Gabriel: pensaba que no llegarían. Sánchez se disculpa, le pregunta si su madre está lista. La anciana aparece en la puerta con un bastón. Le cuesta caminar. Rai sigue mareado y pide un vaso de agua. Juan Gabriel no les permite entrar a la casa; él entra y sale rápidamente.

Se están despidiendo de Juan Gabriel cuando escuchan una voz de mujer que sale de la casa. Un resplandor se escapa por la puerta entreabierta. Luces azules y amarillas que chisporrotean. Una lámpara, quizás, un fuego. El olor a cebolla se cuela por las rendijas de la ventana. Un anafre encendido.

–Si venís mejor te quedás –dice la voz de mujer, el tono alto y firme–. Y si no mejor también. Estoy cansada de tus trucos. Me voy a echar contra ese cupesí. Cansada. ¿Me oís? No pongás esa cara. Así nomás no te ayudaré a cruzar el río. Si te ahogás no llorés luego que fue mi culpa. Tené cuidado, el caballo no es mansito. Es hermoso mi caballito. Era de la propiedad de al lado y se escapó para venir a tomar agua del riachuelo al lado de mi casa. El dueño nunca lo vino a buscar. Papá me decía que no lo tocara porque le salía espuma de la boca. Pero lo toco y no pasa nada. ¿Ves?

Juan Gabriel cierra la puerta. Caminan rumbo al auto, la anciana apoyada en el hombro de Rai. Sánchez dice que esa voz que escucharon es de la esposa de Juan Gabriel.

–Juan Gabriel no quiere que salga de la casa.

–¿Ni para ir al doctor?

–No solo eso. Le dije que le podía traer un doctor pero también se niega a eso. Un desorden todo.

Sánchez hace una mueca. Una mariposa ingresa al auto.

Alguien ha construido un pozo en el patio y este se ha llenado de túneles al centro de la Tierra.

En los árboles han reaparecido los indios colgados. Se sacuden como frutos maduros.

La piel de Karina salpicada de líquenes, su textura rugosa.

Una noche Rai busca las entrevistas a Dunn en YouTube. Encuentra la que dio a un canal en el patio de su casa en Cochabamba, junto a un pozo. El que dijo primero que Tania se había fugado con sus hijos al Brasil fue Dunn. Una vez que él metió la idea otros la adoptaron: los policías bolivianos dijeron haberla visto cruzando la frontera (los brasileños no la vieron).

Quizás Tania, el empresario maderero y los niños nunca se fueron de Bolivia. En realidad nunca salieron de Cochabamba. Algo les ocurrió, y sus cuerpos fueron tirados por el pozo en el centro del patio de la casa de Dunn.

Disfruta de la teoría durante unos días. Para que sea verdad se requiere que un hombre haya matado a cuatro personas a sangre fría, entre ellas su esposa y sus hijos.

Dunn deambula melancólico por el patio y Rai cree que debe descartarla. No debe dejarse llevar por la alita. Porque se trata de ella: ensancha tanto el mundo de lo posible que de pronto todo parece capaz de hacerse realidad.

Rai visita a Valeria en su cabaña desordenada: ropa en el suelo, pilas de platos sin lavar, desparramo de cereales sobre la mesa. Del celular escapa la voz ronca de una cantante en portugués. Latas de Paceña se alinean sobre la mesa. La cadena del baño no larga, Rai usa un balde de agua preparado bajo el lavamanos.

Rai no ha vuelto a intentar nada con ella y Valeria lo prefiere así. Quisiera hablarle de sus últimas visiones pero está distraída y no lo escucha. Ella le cuenta que el teniente no se cansaba de hablar de las virtudes de una comunidad que solía visitar a media hora del pueblo. Se reunían los sábados por la tarde para hacer ceremonias con la alita y la invitó. Ese día se quedó en casa y no pensaba ir. Un impulso la hizo agarrar su moto y partir a la hora en que la reunión comenzaba.

–Esa primera vez me distraje mucho con las visiones. Creía que eran el objetivo de la ingesta. Salía al jardín y me quedaba viendo cosas. Me tenían que ir a buscar, explicarme que el trabajo era espiritual y no debía dejarme distraer por las visiones. Cosa que no es nada fácil, cara. Tanto esfuerzo esa noche me agotó. Me sentaba a descansar o me echaba en un colchón a un costado de la *casinha* donde hicimos la ceremonia. Me quedaba mirando en el jardín y veía a mis hermanos en el patio de la casa donde crecí. A mis hijos buscándome en el departamento en el que viven con su padre, no me encontraban y él les decía que me buscaran allá afuera. Semanas durísimas en las que procesé las culpas de mi divorcio.

Se queda callada recordando esa primera vez, un hilillo de cerveza resbala por los labios. En la pared un cuadro horrible que los vendedores de artesanías venden a los turistas: una mujer con un tipoy rojo a la orilla del río, a su lado un bufeo sonriente. Se levanta en busca de una lata y le pregunta si quiere otra, se le ha debido calentar. Está bien así. Enciende un ventilador de techo de montura tambaleante; las aspas giran lentas, sus sombras se derraman en el suelo, cortan a Valeria mientras regresa parsimoniosa al sofá.

Hablan del doctor, Rai le pregunta qué cree de la desaparición de sus hijos. Si piensa que están vivos.

–No creo que estén lejos. La policía le siguió la pista a la mujer... Persiguieron a Tania hasta Rio Vermelho y se diluyó la cosa. No es fácil, Brasil es tan grande. Pero soy de las que piensan que el mejor lugar para esconder algo es a la vista de todos. Puede que Tania esté en este mismo pueblo. A veces me pregunto si el doctor vino aquí por el ala o por la cercanía a Rio Vermelho. Quizás el ala le dijo algo. No me hagás caso. En todo caso creo que los chicos están vivos y el día menos pensado volverán al lado del doctor.

–¿Y si quizás nunca salieron de Cochabamba?

–¿Qué insinúas?

–Es que... No, nada. ¿Has vuelto a probar la encarnación virtual?

–El doctor quiso pero le dije que no. Me hace dar náuseas.

–La otra vez me produjo un cortocircuito. Estaba metido ahí y tuve una visión del ala. Como si la plantita quisiera mostrarle a la máquina que es superior a ella.

–Gana la planta por ahora pero con el tiempo la máquina aprenderá a hacerlo mejor.

–No estoy seguro, la alita es muy fuerte. Y lo que falta experimentar con las plantitas. A mí eso no me parece mal.

–Nunca dije que estuviera mal, cara. Por eso estoy aquí. Lo entiendo perfectamente. Ahora, ¿tratar de sacarles su alma para que otros las disfruten en un juego? Esa parte me conflictúa más.

–No creo que las plantas tengan alma, Valeria.

–Que las hayamos visto así ha hecho que convirtamos toda forma de vegetación en materia prima para la alimentación o el combustible, Rai. Lo que acabás de decir es responsable de la deforestación de los bosques.

–O sea que yo soy el malo.

–Un cómplice más. Lo único que digo es que no hay que reducir a la planta a materialidad pura. Es lo que te enseña la alita.

–¿Y entonces a qué hay que reducirla?

–Hay un alma vegetal. Un alma que busca la luz y la oscuridad al mismo tiempo.

–Cualquiera. Eso suena muy *new age*.

–La plantita se mueve por una intencionalidad no consciente, que se enciende al contacto con otras sustancias, y que nos enciende el espíritu. Un alma que, a diferencia de nosotros, no tiene una relación propietaria con lo que la rodea.

–¿Las plantas tienen alma?

–No, me expresé mal. En ellas no hay separación entre cuerpo y alma.

–¿La alita es cuerpo y alma?

–Es una planta-alma. ¿Te hacés la burla? Se alimenta de todo lo que la rodea no para ella misma, porque no tiene un yo autónomo, sino para darle poder a los demás, sean otras plantas o minerales o nosotros mismos.

–Un yo autónomo... Esto se ha puesto muy dramático. Ni siquiera estoy seguro de que nosotros tengamos un yo. ¿No has escuchado a Dunn?

–Asimilar al otro es para ella salirse de sí misma. Una virtud de la que podríamos aprender mucho.

–Intencionalidad no consciente, relación no propietaria... ¿De donde sacas esas cosas?

–Tenés que quedarte a vivir unos meses en la comunidad, Rai. Apenas termine tu trabajo aquí.

–Seguro que sí –dice él y se ríe, tentado de volverla a filmar: ha descubierto que es su mejor modelo.

La doctora camina sin rumbo por el patio. Habla con Yesenia bajo la luz anaranjada de un poste, polillas en torno a la lámpara. Rai orina en el baño del estudio, sin luz y con el agua corriendo (nunca arreglaron lo del agua a pesar de sus pedidos). Vuelve a la cama y revisa los mensajes de sus compañeros de la promo: porno y cadenas de oración. Uno de ellos vuelve a preguntarle si él fue el responsable del video de la hija del presi.

No creo q lo hayan hecho esos cambas muy changos para esto

Te sorprenderías de lo q saben los changos de este tema. En todo caso NO

En Instagram le ofrecen el diccionario de Covarrubias. Lo hojea en una *app*. Se ríe con algunas definiciones: mosquito es una "mosca pequeña... que con ser una cosa tan pequeñita desasosiegue a un hombre con su ruido y su puntura"; mariposa "es un animalito que se cuenta entre los gusanitos alados, el más imbécil de todos los que puede haber. Este tiene inclinación a entrarse por la luz de la candela, porfiando una vez y otra, hasta que finalmente se quema"; rincón: "la etimología de rincón está tan arrinconada que hasta ahora yo no la he hallado".

Después de un rato se arma de valor y sale del estudio.

Espera que la doctora y Yesenia desaparezcan del patio para cruzarlo y llegar al galpón donde duermen los voluntarios. Un rayo ilumina el cielo. Pronto caerá la lluvia, y él se pierde observando una nube movediza parecida a un puño. A lo lejos el chillido de un animal, quizás un mono o un taitetú.

Ingresa al galpón, cruza por el recinto donde duermen los hombres, revisa las puertas de los cuartos de las mujeres. Encuentra una entreabierta, pero la voluntaria que duerme ahí está bien tapada y prefiere no arriesgarse. Sigue con la revisión.

Al final del pasillo está el cuarto de Cleyenne, que ha vuelto a ser parte de las pruebas después de su picadura. Rai abre la puerta procurando no hacer ruido. Duerme de lado, enroscada entre las sábanas. Se le acerca y le aparta la blusa, exponiendo uno de sus pechos. Saca su celular, busca la cámara.

Se detiene. ¿Qué hace ahí?

Todo es tan difícil.

Cleyenne abre los ojos y lo observa. Se queda paralizado, esperando un movimiento suyo, un grito. Ella también se queda quieta.

No soy de esos, quiere decirle, pero, ¿de cuáles es?

Da unos pasos hacia atrás, sale del cuarto. Pronto se escucharán los gritos.

Nada. Silencio. Logra escapar del galpón, regresa al estudio. Tarda en tranquilizarse.

Quizás pensó que era un sueño vívido, un delirio de la alita. Los dos en su viaje.

Ingresa a 4chan. Ve sin ver. Lee sin leer.

Valeria quiere hablar con Rai. Él busca una explicación adecuada para su ingreso al galpón: se confundió de edificio, estaba todo oscuro. Ella lo escucha sin decir una palabra.

–Sé por qué se fue la tarijeña –dice al fin–. Me lo contó todo. Son dos ya. Cleyenne también me contó de tus avances. Tendré que informar de esto.

Él le ruega que no diga nada. Acepta que con Florencia no obró correctamente pero que tampoco era como lo pintaba ella. Solo quería filmarla para tener un recuerdo, y sí, es cierto, no estaban en el mismo plano –ella bajo los efectos de la alita– y no era justo pedirle nada en esas condiciones. Niega haber hecho algo malo con Cleyenne, insiste en que fue una simple equivocación.

No sabe si le cree. Valeria no dirá nada al doctor por esta vez, pero le informa que un incidente más complicará su situación. Luego de esa conversación se mostrará distante.

Los siguientes días Rai no abrirá su *laptop*, no ofrecerá masajes a nadie, cuidará sus palabras, no se acercará a los voluntarios. Cree que se puede.

Miss Tiquipaya lo lleva de la mano por las galerías construidas por las hormigas bajo el patio. Avanzan agachados, un polvillo se mete por la boca y la nariz y les hace toser. En las paredes de los túneles hay rocas y piedras brillosas. Los cables del sistema de iluminación se mecen sobre sus cabezas. A ratos todo se apaga y lo oscuro los devora. El ruido de las pisadas rebota en las paredes, se desplaza por el túnel y regresa a golpearles la cabeza.

Miss Tiquipaya lleva una máscara de mono, usada para un cosplay *de Zora en* El planeta de los simios *con el que fue finalista en un concurso.*

–Han ocurrido cosas fuertes –dice–. Tu padre tiene mucho que ver con esta historia.

–¿Qué sabes tú?

–Todo.

Él se aferra a una cuerda, deslizarse por el túnel es deslizarse por el tiempo. Tose, ardor en la garganta. Busca un vaso de agua en la cocina del estudio. Lo llaman, pero no tiene ganas de ir. Sisi duerme y el cielo se derrumba. Siguen avanzando.

–¿Has preguntado por qué tu hermana se fue a Miami de la noche a la mañana? –dice Miss Tiquipaya–. ¿Qué hizo tu padre? ¿Qué vio tu madre? ¿Por qué ocurrió lo que ocurrió? Conmigo él quiso meterse una vez, estábamos charlando, yo en malla de baño, y de pronto puso su mano en mi entrepierna. Quise darle uno bueno

pero me aguanté. Apocado pero se daba modos. Solía ingresar al vestuario con una cámara cuando nos estábamos cambiando, decía que tu mamá lo mandaba para documentar la historia de Promociones Delia. Algunas cayeron y posaron desnudas para él, les prometía cosas, viajes a concursos, la seguridad de que serían finalistas, está todo arreglado, decía. Nos tocaba con cualquier excusa, los cachetes, el culo. Nos besaba en la boca al saludarnos, metía su lengua si tu mamá no estaba cerca. Tratábamos de reírnos y no decir nada, pelearnos con él era entrar a la lista negra de doña Delia. Nos hablaba de la fiesta del fin de semana, del dinero que podíamos conseguir, creíamos que lo mandaba tu madre. La hormiga reina.

Él le pide que se calle.

–A mí me pegaba –dice él–. Tenía un saco de boxeo y una pera para entrenarse en el garaje y sin aviso, me portara mal o no hiciera nada, me llevaba allá con el pretexto de entrenarme y me golpeaba duro. Mamá se espantaba al ver mi cara y papá le decía que me había golpeado yo solito entrenando. Hacía chistes para minimizar la situación, era bueno contándolos.

Miss Tiquipaya se saca la máscara de mono y aparece otra máscara de mono. El túnel se estrecha. Se van achicando. Son enanos. Les han aparecido alas y cuatro patas. Es el hombre hormiga. Miss Tiquipaya es cabezona.

–Tu padre. Esa noche él tocó el tema. Nunca debí asistir. Era tentador. No pensé que ocurriría nada. Las chicas contaban cosas terribles. La mayoría no hacía nada, ganaba su concursito y volvía al anonimato; las más ambiciosas se iban a Santa Cruz. Estaban las que se convertían en parte del cogollo de tu madre. Miss Feria Exposición quedó traumada pero hizo buen dinero. La señorita Cadáver sigue haciendo carrera. Pensar que tú fuiste quien me trajo el dinero esa vez. No te debí haber recibido el sobre.

Ingresan a un recinto de paredes húmedas y goteras. Alguien con el rostro vendado en una cama. La bata de esa tarde después de que su hermana se fuera a Miami. El color verde repta por las paredes. Todo el ambiente se ha impregnado de ese color.

La anciana quiere hablar desde la cama. Su cuerpo conectado a unos tubos. Se levanta apenas. Él quiere verle la cara, sacarle las vendas. Le pide que se acerque. Caminan por un pasillo, ella le ofrece mostrarle su colección de muñecas japonesas. Androides que encarga a hackers *paraguayos en el gran Buenos Aires. Construyen réplicas de las chicas a las que les ha ido bien en un concurso. Apenas ganó Miss Tiquipaya ella la envió a Buenos Aires a que los paraguayos le hicieran una réplica. Su androide es capaz de pronunciar treinta frases y gracias a sensores en sus ojos sigue tus movimientos y capta tu estado de ánimo.*

–Hola, me llamo Miss Tiquipaya –dice el androide.

Sonríe, agita la mano como saludando al público, hace una venia como si estuviera delante del jurado. Se saca la máscara de mono y aparece otra máscara de mono.

–Nací en el Chapare –continúa–, soy hija de un industrial bananero con propiedades cerca del Ichilo. Los periodistas me llaman Pocahontas y también Avatar. Viví en una casa de adobe hasta los nueve, cuando mamá volvió a la ciudad y me fui a vivir con papá. Cuando mamá volvió. Cuando yo me fui. Mamá. Vivir. Papá.

La anciana no puede decirle qué le pasa a la androide. Su rostro ha colapsado. Demasiados liftings. *Un maniquí viviente. Su frente no se mueve, no muestra arrugas. Un esperpento. Un espantapájaros. Una adicta al bisturí. Quería que sus chicas se hicieran adictas. Las estimulaba a operarse. Les daba préstamos a intereses bajos. Todo a medida del cliente.*

–Mamá, ¿qué pasó en la casa aquella noche? ¿Qué pasó con papá y mi hermana?

Ella hace gestos de que quiere regresar a la cama. Hace que se apoye en su brazo, la recuesta con cuidado.

–Una frase: quería lo mejor para ellas. Otra: fui como una madre

para ellas y me olvidaron. Otra: les abrí el mundo. Otra: el tiempo es injusto con nosotros.

–¿Y yo, mamá?

–Nadie es inocente, hijo.

La respiración acompasada.

–Era un niño, mamá.

–No hay excusas.

–Volveré y no te hablaré más.

–Soy como soy por tu culpa.

–Idioteces, hijo, uno se hace su propio destino. Ni tu papá ni tu mamá: tú solito nomás.

–¿Qué pasó con Miss Tiquipaya?

–No tenías que salir con ella, hijo, ser un buen samaritano. Tan fea con esos cachetes estirados, y sus mechas, indiaca nomás, de padres chapareños. Debías haberle dejado el dinero y punto. Ese dinero que no aprobé. ¿Para qué escucharla? ¿Para qué creerle? ¿Creías que era inocente?

El color que ha invadido el recinto adquiere un tono verde oscuro. Miss Tiquipaya toma mucho, siempre apurada. Le gustan los shots *de tequila, a veces no son ni las doce y ya está borracha, dice que por sus traumas, qué sabes tú de lo que me pasó, eso nunca se olvida, ya te quisiera ver a ti, estarías temblando de por vida.*

–¿Por qué tardaste tanto en hacerlo público?

–Todo tiene su tiempo y a veces es rápido y otras no. Creí que lo superaría pero no pude. No sé si he hecho bien. Este pueblo no está preparado. Hablan mal de mí, me miran en la calle. Voy a terminar yéndome a La Paz o Santa Cruz. Al final parece que fue mi culpa.

Miss Tiquipaya es adepta a las cartas de astrólogos y un día lo lleva al departamento que alquila por la América y le dice que según la conjunción de los planetas no debió haber conocido nunca a su madre. Doña Delia pertenece a otra realidad, dice. Viene del bajo astral y más te vale escaparte de ella. Esta vez le habla sobria. Se pierde tres, cuatro días, y él no sabe qué pasa. Mucho trabajo con mis clases, dice, prefiero no contestar el teléfono. Llegan a cumplir un año de escondidas. Él quiere hacerlo público pero ella prefiere esperar. Piensa en casarse con ella. Van de vacaciones a un hotel en el Chapare. Están viendo una porno, distraídos, cuando aparece un actor musculoso y ella dice que su pito chueco le recuerda al de un político conocido. ¿De qué habla? Ella tiene una lata de cuba libre en la mano. Menciona el nombre del político. Él se levanta. Sale de la habitación y ella le tira la lata y estalla contra la pared. Él se va junto a la piscina, trata de calmarse. A la hora regresa y ella no está. La busca por el hotel y no la encuentra. En recepción una mujer le dice que no la han visto.

Regresa a la ciudad y va una noche al salón de eventos de Promociones Delia, el cuidador es un mono con uniforme de militar que lo deja pasar a la oficina. Allí lo espera su madre y la voz retumba:

–Bueno, Pedrito se portó mal, ella dijo basta, es cierto, pero tanto lío con que era una santa… Porque tendrás que saber que no fue la primera vez. Que yo recuerde hubo dos, tres, hasta cuatro desde que entró a Promociones Delia..

–Apúrate –Miss Tiquipaya se saca la máscara de mono y aparece otra máscara de mono–. Hago lo que quiero y no hago lo que no quiero hacer. ¿Tan difícil es de entender? Lo demás es secundario.

Él le pide que descansen, le está costando respirar. No hay mucho aire en la caverna y el polvillo verde ingresa a sus pulmones. Deben regresar.

El rostro vendado de su madre. No ve sus ojos. Quiere ver sus ojos.

Aimara, una voluntaria nueva –pechos planos, pelo rapado, quijada que proyecta firmeza–, viene recomendada de Cochabamba porque en el Centro de Instrucción de Tropas era la más audaz a la hora de saltar en paracaídas. Dejó el CITE y recaló en Santa Cruz, donde estuvo un tiempo en la iglesia de la Cienciología. Hablan del vértigo que sentía al abrirse la puerta del avión y era ella contra el viento golpeándole el rostro, la inmensidad celeste, la tierra que la espera y se le acerca rauda apenas salta.

–Pocas personas me asombran más que las capaces de hacer cosas para las que soy negado –dice Rai–. Los pilotos de avión, los dentistas, los paracaidistas. Qué cosa más rara y maravillosa, la vida, tanta variedad, tanta diversidad. Pensar que mientras duermo hay gente que por voluntad propia decide tirarse al vacío.

Aimara dice que a ella la sorprenden los doctores, por ejemplo uno que iba todos los días a la casa de su abuela enferma.

–Yo jugaba con las gallinas. Mi abuela tenía un montón en su patio, me pedía que fuera a revisar si estaban listas para poner, sabe que solo hay una forma de hacerlo y es meterles el dedo al culo. Me asomaba por la ventana y veía al doctor metiendo la cabeza en el mal aliento de mi abuela, auscultando entre sus pechos caídos. A veces tenía hemorragias y a él no se le movía un pelo.

Hablan de sus miedos. Extraña a su novio pero sabe cómo son las relaciones a la distancia. Lo conoció en la plaza principal de Santa Cruz, él organizaba una campaña de abrazos gratis y la convenció de probar. Transmite energía, decía. Poco tiempo después vivían juntos. Gracias a él supo de la Cienciología, pero no pudo aguantar las reglas estrictas de la iglesia ni sus ambiciones platistas. Se regresó a Cochabamba. Él la quiere convencer de retornar a la iglesia, ella le ha dicho la iglesia o yo.

De niña dormía con la luz encendida porque estaba segura de que había fantasmas en la casa: las puertas se abrían por su cuenta, la ducha se encendía sola. Veía el perfil de la Virgen María en las marraquetas, el de Jesús en las ventanas empañadas de su casa durante los días de lluvia. A veces, echada en cama, era capaz de percibir la rapidez con que giraba el planeta. Entró al ejército porque no le gustaba vivir sola y se sentía más protegida durmiendo en un pabellón junto a veinte compañeras, y a la Cienciología por lo mismo: el deseo de formar comunidad.

–Te advierto que el experimento te puede hacer sentir muy sola.

–No creo que nada supere la soledad de lanzarse en paracaídas.

–¿Tomas algún medicamento? Es para ver las contraindicaciones.

–Un tiempo me enganché al clona. Me lo recetó un doctor porque no podía dormir.

–A mi madre le pasó lo mismo –se inventa Rai para ganarse su confianza–. Un día fue a la farmacia y el encargado le dijo que no había y le recetó otra cosa como si nada. Tuvo visiones, por las noches creía que el cobertor de alpaca de su cama estaba vivo. Se la pasaba angustiada hasta que su médico se dio cuenta de lo que ocurría. Hizo que volviera a engancharse al clona y le disminuyó la dosis aunque nunca la sacó del todo. ¿Tú cómo saliste?

–Bajando de a poco y pasándome al Valium por unos meses. Si me da insomnio ahora me hago un tecito de camomila. Las cosas naturales son lo mejor.

Rai le hace un test de asociación bajado a la rápida de internet: le pide que a cada palabra que pronuncie diga la primera que se le ocurra: ventana (indiscreta), montaña (violenta), triste (mundo), rana (negra), novia (escarlata). Con dudas, la aprueba.

Administra el experimento después de una noche insomne. Llueve y los truenos ruedan por el cielo. En las ventanas de la sala se apoya el día cenizo, iluminado a ratos por los rayos. Las nubes esconden el horizonte y avanzan quebrándose en filamentos chiclosos. Yimi da de cabezazos parado sobre una pata en la jaula; no para de temblar. Los monos aúllan en la mata: una barahúnda de chillidos y agitar de ramas permite imaginar una disputa, pero puede que estén jugando.

La doctora Cosulich les da una dosis de primer grado a Aimara y a los otros. Cleyenne no para de hablar de las cosas que le han ocurrido en el futuro. Rai y Yesenia acompañan a los voluntarios a sus cubículos; Rai acomoda la gorra de sesenta y cuatro canales en la cabeza de Aimara y le promete un viaje amable.

Rai le comenta a Valeria que no cree que el viaje sirva de mucho, los resultados han sido hasta ahora constantes. Ella le dice que pronto comenzarán a probar alita con otro compuesto. Le dice que cuide a Aimara: es una de las escogidas por el doctor para probar la máquina. Rai piensa que para entonces estará de regreso en Cochabamba y el laboratorio habrá iniciado el camino para convertirse en un recuerdo intranquilo.

Gritos en un cubículo. Rai se levanta a ver qué ocurre. Aimara llora.

–Estoy viendo a mi hermana muerta. Nunca pude despedirme de ella.

Yesenia le revisa los signos vitales. El corazón acelerado, pero es lo normal.

Él regresa a la oficina. Se desliza el cansancio por el cuerpo. Se recuesta en el sofá. Un don Nataniel de bordes difusos aparece en el vano de la puerta y pide que no se duerma, hay que cuidar que los trabajadores no flojeen.

Esa noche escucha ruidos en el cubículo de Aimara. Ella se restriega los ojos y se jala la gorra como si quisiera sacársela. Él le pregunta si ha vuelto a ver a su hermana muerta.

–No está muerta –grita.

Le saca la gorra y la consuela acariciándole el pelo. La cabeza hundida. Le levanta el mentón.

–El universo es una gran central eléctrica –dice ella–. Nosotros somos unos lindos muñecos eléctricos. Cada célula un dínamo. Cada uno de nosotros genera corriente. Cuando salto en paracaídas produzco un cortocircuito. La potencia de los muertos debe ser de alto voltaje. La potencia de mi hermana. No hay división entre las máquinas y nosotros. Llegué aquí en tren pero puedo irme corriendo por los rieles, conectada a cables eléctricos. Seré la mujer vehículo. Me llevaré a mí misma.

Una vez que la nota relajada él saca el celular de su bolsillo. Lo acerca a su cara, aparenta revisar algo, aprieta el botón rojo de la cámara y comienza a grabar.

El sollozo de Aimara se transforma en llanto. Rai sigue apuntando al rostro con la cámara. Ella le pide que pare y le rasguña la mejilla.

–¿Qué te pasa? Es para los archivos del laboratorio.

Rai le agarra los brazos y ella se tira en la cama y le da la espalda. Él sale de la sala, deambula por el patio, quiere tranquilizarse pero el corazón sigue su ritmo salvaje y percute en sus oídos.

mucho sobre cómo se comunican las plantas. Todo bien con el teniente hasta que me hicieron llegar un video de él en un motel con su amante. Una despechada lo subió a un sitio porno.

–¿Segura que era él? Pudo haber sido un video falso.

–No creo que nadie se tome el trabajo de hacer un video falso de él. Te paso el *link* si querés. En todo caso ya pasó. Ojalá nunca te toque algo así. ¿Sos casado? ¿Divorciado?

–He tenido mis idas y venidas pero hay algo en las relaciones que no me convence. Prefiero mi libertad. Llegar a casa y ponerme a ver la peli que quiero. O quedarme enganchado horas frente a mi *laptop*.

–Pero si eso es lo que hacen todas las parejas. Lado a lado, cada uno viendo sus redes en el celu.

–No es lo mismo. Hubo un tiempo en que disfruté del compromiso. Son etapas, supongo. Ahora disfruto de no estar comprometido. Las relaciones son un exceso. De tiempo, de emociones.

–¿Sos de los de Tinder entonces? ¿De esos de un choque y fuga y ya está?

–Tengo una cuenta pero la uso raras veces.

–Sos complicado. Con la edad eso se acentúa, serás un viejo insoportable. Veo que te llevás bien con Yesenia. Es amiga con derechos de Sánchez, ten cuidado.

–Sí, lo sé. No estoy haciendo nada malo.

–Da igual. Sánchez es un controlador.

–Conmigo se porta bien.

–Por ahora, pero seguro te tiene fichado. No la deja ir ni a la esquina, la abruma con *wasaps* y se enoja si ella no sube las fotos de los dos juntos al *feis*, dice que lo está ocultando. Últimamente discuten de todo.

–La política de los *likes*. Ese es el tipo de cosas que no me gustan de una relación. Siempre hay algo. Todo termina complicándose.

–Y por si acaso con las voluntarias ni se te ocurra, ahí el doctor te despide sin vueltas. No por él, vos sabés cómo somos, pero cuando se mete en el baile una compañía transnacional hay que tener cuidado. Además que…

–¿Qué me decías del teniente?

Van entrando al pueblo. A la derecha de la carretera un barrio de construcciones desarboladas se alza delante de una abandonada fábrica de cerámicas; mototaxis, jóvenes cleferos mendigando en las esquinas, pensiones que ofrecen sopa de maní y locro. Valeria elude una carreta uncida por bueyes; el Passat da barquinazos, el barro hiere las ventanas.

–El teniente tenía una moto en la que iba a todas partes. Le encantaba salir del pueblo, perderse por los caminos de tierra. Entraba y salía de Rio Vermelho como si nada, a veces íbamos allá a comer pizza, una *picanha* o helados de *brigadeiro.* Fue él quien que me abrió a una mejor relación con lo que nos rodea.

–Suena comprometedor.

–En la selva me hacía ver que los árboles mantienen correspondencia entre ellos, que si uno de ellos apunta sus ramas hacia los lados no es por casualidad sino para dejar que la luz le dé al árbol de al lado. ¿No ves que hay árboles que a veces se quedan enanos mientras otros a su lado se estiran? Los que se estiran es porque han visto un hueco en la copa donde hacerse espacio. Los otros tendrán que esperar su turno. Puede que sean ochenta años pero no importa. Son otros sus ritmos.

–*Mansplaining* vegetal. Por lo visto tenía buena labia.

–No te burlés. Los árboles son seres sociales, por eso crecen tan juntitos, para entrelazar sus raíces y ayudarse en caso de problemas. Los que tenemos en el patio están sanos y fuertes debido a esa conexión. Se mandan mensajes a través de una red micótica que los comunica.

–¿Micótica? Pará que consulto mi celu.

–Los ves inmóviles, los creés simple parte del paisaje y no te das cuenta que se están desplazando todo el tiempo. El movimiento no solo consiste en ir de un lado a otro sino también crecer, cambiar de estado, decaer. Lo hacen a su ritmo. Eso lo entendí mejor después de probar la alita. Hay que aprender de ellos.

–Mantenimiento de piscinas y jardines. ¿Da dinero eso por aquí?

–Te sorprenderías. ¿O vos creés que todo es selva y río? Aquí hay plata del narco, del contrabando.

–Los árboles, ¿amigos? ¿No estarás exagerando un poco?

–No dije que fueran amigos sino que tienen correspondencia entre ellos, es diferente. No los humanizo. Más bien quisiera llegar a lo que me une a ellos. Viajar a la semilla. A la savia misma.

–Yo he llegado al plancton. ¿Sabías que estamos hechos de algas doradas? Microorganismos unicelulares. Parece que la alita es la solución para todo.

–Incluso para lo que no tiene solución. Cuando algo me preocupa me meto por los senderos de la floresta y camino hasta encontrar la plantita. Suficiente tocar sus hojas y que me transmita su textura para sentirme mejor. Tanta sagacidad la suya. Quisiera ser como el indio de esa leyenda villarroseña, que fue a orar al bosque y no salió más. Lo encontraron apoyado a un árbol, fusionado con el tronco, ramas y raíces saliendo de su cuerpo.

Los escapes de las motos estallan como truenos en la avenida. Valeria lo deja en la plaza principal. Él piensa en el *deepfake* que ha hecho de ella y sigue colgado en BoliviaXXX (YouPorn lo ha bajado).

Ah, si supiera.

La iglesia es de líneas sencillas y parece haber sido construida antes de que el impulso barroco inundara las fachadas de angelitos. En el centro de la plaza hay una estatua de Nataniel Roca montado en caballo; sostiene una espada y lleva puesto un salacot blanco, una punta del mostacho está rota y su camisa es de cuello Nehru. Rai saca fotos: podría hacer buenos memes. La estatua tiene una inherente cualidad viralizable.

En diagonal a la iglesia está el edificio del gobierno departamental, las paredes grafiteadas; en una placa lee que alguna vez fue la sede de la Casa Roca. En una salita-museo lateral se entera de que Nataniel Roca fundó Villa Rosa como punto de abastecimiento clave en el negocio, centro de operaciones cercano a las caucherías, al río –para llevar el caucho hacia el sur del país– y a las tribus que, obligadas, les proveían de mano de obra. Lee poemas de elogio a su patriotismo y su desprendimiento al organizar a sus siringueros para la defensa de Villa Rosa ante la invasión brasileña. En Wikipedia se entera de que no sirvió de nada: poco después de la guerra el gobierno boliviano firmaría un acuerdo con el Brasil por el que cedía doscientos mil kilómetros cuadrados a cambio de dos millones de libras esterlinas.

Don Nataniel está completamente de blanco en una foto, rodeado de trabajadores indígenas a la vera del río. Son los años triunfales, antes de que la caída en la demanda del caucho en la década del veinte –Wikipedia lo informa mejor que el museo– y la guerra del Chaco, que despobló la región de siringueros amarrados por el enganche, llevara a la Casa Roca a interesarse de manera compensatoria en la explotación de la castaña (detrás de un cristal: un contrato de importación de máquinas rompenueces de Inglaterra, de 1931). Fue un lento declive, hasta que la revolución del 52 la intervino por sus deudas y porque representaba el "poder gamonal terraniente". Algunas instalaciones fueron reconvertidas en beneficiadoras de castaña.

Sale del edificio, camina por la calle Nataniel Roca. Trata de despejar la cabeza dejándose llevar por lo que le ofrece el presente de Villa Rosa, cuya identidad y comercio dependen de su cercanía con el Brasil. No conoció la otra Villa Rosa, la de hace apenas diez años, cuando era la avanzada camba que soñaba con frenar el proyecto del Compañero Presidente. A cuarenta minutos de aquí hubo un enfrentamiento, campesinos afines al gobierno muertos, y el Compañero Presidente consolidó su poder y la Villa Rosa camba no fue más (Rai cree que el gobierno le tendió una trampa a la oposición y esta cayó).

Puestos de comida en las aceras –licuados de asaí y maracuyá, carne al peso–. Vendedores ambulantes que ofrecen versiones genéricas de Valium y Viagra. Las tiendas de electrodomésticos y de pirateada ropa de marca rebosan de vermelhenses atraídos por el cambio favorable. Su idioma: un español cartilaginoso, deshuesado. En el concurrido restaurante Subuay –imita los logos y colores de Subway– el señor que atiende detrás de la barra y los dos mozos son sordomudos. Rai pide con señas. Apenas le dan la espalda presiente que se olvidarán de él pero es lo contrario: reaparecen cada rato y le sirven como si adivinaran sus intenciones.

En una mesa está sentado el Gigante, tan real que por un momento duda. Rai se lleva una mano a la oreja, una reacción que lo sorprende.

La realidad se pixela nuevamente. Aparecen puntos a los costados de su campo de visión. Flotan delante de él, abarcan su espacio perceptual, se transforman en una oscilante línea horizontal. Tarda en volver a enfocar la imagen con claridad.

Una mujer se acerca al mostrador, los tenis manchados de barro, el pantalón holgado. Se pasa la mano por el pelo churco, busca billetes en la cartera. La reconoce: es Verónica. Miss Tiquipaya. Se da la vuelta y le sonríe al pasar pese a que nota los bordes de ella borrosos y la sabe irreal. La saluda, murmura su nombre. Ha muerto hace mucho, atropellada por un taxi al salir de su trabajo. Por entonces ella vivía en Mendoza y trabajaba en la compañía de su tío. Terminó yéndose de Cochabamba, la gente le hizo la vida imposible. Hubo una época, después de que cortaran, en que ni siquiera quería salir de su casa y se la pasaba encerrada en su cuarto, escribiendo una columna para el periódico en la que criticaba la estrecha mentalidad cochala.

Miss Tiquipaya desaparece antes de llegar a la mesa. Lo envuelve la tristeza. Es un abrazo asfixiante y debe salir de la pizzería a tomar aire.

Quizás deba contarle al doctor Dunn lo que le está pasando. Quizás deba ser un voluntario más.

Una agencia de viajes ofrece retiros chamánicos en una comunidad indígena en la selva, a una hora en chalana de Villa Rosa. En una ventana se fija en la foto del chamán, un machete a la cintura. Sabe que al pueblo llega gente en busca de las propiedades curativas y alucinógenas de la alita. Los operadores turísticos ofrecen sesiones con chamanes y retiros de dos a cuatro días, pero eso no está regulado y no faltan los charlatanes.

Una avenida con jardinera de palmeras despellejadas. Rugen las mototaxis, con paraguas adaptado para proteger al conductor y su acompañante. En la pared de un edificio un mural de Amarildo, el pintor que le ha dado su estética *kitsch* al lugar: pumas de ojos hipnóticos, loros azules y verdes, bufeos rosados, mujeres semidesnudas que se transforman en serpientes y plantas, cielos poblados de estrellas y cometas, un predicador con el torso desnudo declamando parado sobre un cajón. Dibujos abigarrados que esconden el rostro del pintor, disuelto entre los objetos.

En el mercado Nataniel Roca, cerca del río –restaurantes con hamacas, ofertas de *tours* en lanchas y chalanas, un puente que conecta con Rio Vermelho–, predominan los productos importados. El Compañero Presidente llama a defender el proceso de cambio desde un grafiteado cartel tricolor a la entrada (una frase le cruza el rostro: SALVEMS E IPNIS). Tiendas de plantas medicinales, 7 RAISES, 21 RAISES, TORONGIL, LLANTEN, HUIRA HUIRA, MACA, ALA DEL CIELO.

Trata de hacer las compras rápido para evadir el olor a aguas servidas en los pasillos, el despliegue inquieto de los mosquitos y los marigüises, los pasillos abigarrados de turistas e informales con sus productos en bolsas y mantas. El portugués invade el español de las vendedoras; no dicen "claro" sino "valeu", "eso" lo reemplazan con "isso"; en realidad hablan otro español, en el que se pierde.

No todas las caseras le quieren vender; ponen excusas tontas, está reservado, no hay, y eso que él ve los productos. ¿Será por culpa del laboratorio? No quiere darle muchas vueltas. Logra comprar un mosquitero hecho por mujeres de una comunidad indígena. Un chico con una polera del Real Madrid le pregunta si le interesan loros rojos y parabas barba azul. Le da unas monedas y se marcha silbando. Le ofrecen gusanos crocantes a la parrilla. Cuenta cinco ciegos y tullidos pidiendo limosna: una verdadera corte de los milagros. Un niño se asusta al mirarlo con sus ojos lechosos, sin pupilas.

Los puntos retornan a su campo de visión. Son absorbidos por el centro de la imagen, como si colapsaran dentro de un agujero negro. Todo está oscuro y él sigue con los ojos abiertos. No quiere dejarse ganar por el pánico.

Aparecen ojos de todas partes. Hileras de monedas. La imagen vuelve pero la sintonía es deficiente. Las camisas y pantalones de un puesto se transforman en lombrices apegadas una a la otra. Patrones y más patrones. La ansiedad trepa.

Todo se aclara de pronto. La nitidez es insoportable, como si hubiera subido al máximo la brillantez de su percepción. Mueve la cabeza, intenta atenuar el brillo, pero no puede. Se pierde en la intensidad de los colores. ¿Y ahora?

Parado sobre un cajón de manzanas, un hombre flaquísimo y barbado habla sin parar. Le hace recuerdo al predicador en el mural de Amarildo. Está sin polera, se saca las chinelas y se hurga los pies, las uñas largas y negras. Rai deja un par de monedas en una lata al lado del cajón.

–Desorden es lo que es –dice el hombre–. Yo no provoqué el incendio. Se acercan las llamas y no llegan los bomberos. El pobre perro se ha muerto, le dieron pan con vidrio. El perro se comió a mi loro. Mis papás quisieron esconderlo, no fue él, Raúl, pero a la mañana siguiente lo encontré enterrado en el jardín. Pombo jodeputa, te comiste a mi Panchito. Así me gusta, que bajés la cabeza. ¿Y ahora qué te pasa carajo? Basta de lloriqueos, no vas a llegar a ninguna parte así. Nunca te lo voy a perdonar, nunca de los nuncas, es que nunca, jodeputa…

Rai persigue sus ojos, su incapacidad de estarse quietos y mirarte fijo. Trata de ver lo que ve, ingresar a su mundo, rodearse de jardín, perro y loro en la infancia clausurada para otros pero no para Raúl, que esta ahí, agitado, reviviéndola o quizás viviéndola.

Raúl le señala con el índice de su mano derecha.

–Usted es el malo. El que se quiere llevar a las niñas. ¡Policía, arréstenlo!

Rai lo mira desconcertado, sin saber qué hacer. Una sandwichera le dice que ponga las manos sobre el pecho, como para protegerse del rayo que le envía Raúl. Le hace caso.

–Venga, pase a mi casa –Raúl lo mira fijo–. Le presento a mi viejo y a mi viejita. Ella aprueba todo lo que ocurre aquí pero luego viene la policía a tocar la puerta y ya no estoy tan seguro. Las niñas eran inocentes pero sus padres no, él les pasaba plata a los padres. Disculpe lo que le dije, usted no fue. Tampoco mi viejo. Pombo mató a Panchito, pero luego alguien vendrá y matará a mi Pombo. Estoy seguro que es del barrio, desde entonces no duermo. ¿Se imagina, un asesino en mi barrio?

–Me alegra saber que yo no fui –la voz de Rai es un silbido.

–¿Ve las plumas? Pobre Panchito. Fuimos a comer al campo un domingo y lo pusimos junto a la ventana y se cayó y zas eso nomás sería. Pombo duerme como si no hubiera pasado nada. ¡Despertá, animal! Cómo me hacés enojar.

Está distraído buscando a Pombo cuando alguien susurra su nombre. En el pasillo descubre la figura pixelada de Nataniel Roca. Se ha bajado del caballo y lo llama.

Todo vuelve a emborronarse.

Despierta sin saber dónde está. Tarda en lograr que los perfiles de los objetos se compongan: es su estudio. En el centro de la mesa ratona observa un florero de vidrio azul. Su material se fragmenta, como si hubiera ocurrido una explosión de átomos, y luego las partículas vuelven a pegarse. Rai piensa en el colapso y nacimiento de las estrellas, en el fin y el principio de los mundos, en cometas y meteoritos llegados de universos lejanos para sacudir los bosques. En su cerebro aparecen definiciones del diccionario de Covarrubias: *Loco: la etimología de este vocablo tornará loco a cualquier hombre cuerdo*; *Tiburón: pescado grande que sigue las naves que van a Indias, y es muy tragón y engulle cuanto cae dellas al mar.*

Sánchez está con Yesenia al lado de la cama y le dice a Rai que su casera del mercado lo alertó de lo ocurrido. Tirado en el suelo gritaba que los brasileños le habían disparado, que la columna organizada por Nataniel Roca se batía en retirada y eso era intolerable.

–Para eso te traemos. Para cuidar a los voluntarios cuando tengan sus ataques. Pero, ¿quién controla al controlador? No nos metás en líos, por favor, ya la gente nos mira raro en el pueblo. He pedido que no le cuenten nada a Dunn.

–Un poco de fiebre –dice Yesenia después de tocar su frente.

–Diré que estás indispuesto y te quedarás en cama hasta mañana. Descansá.

mamá estoy con fiebre he visto cosas raras una estatua q cobraba vida UN indio q lanzaba flechas incendiarias soldados en hermosos caballos

cuidate hijo los mosquitos d esa zona son superdotados He visto en el noticiario q ahí cerca a una población entera se la ha llevado la malaria regresá pronto necesito tu ayuda las Chicas Fit están sacando unos videos bien chistosos en TikTok hay q contrarrestar

Se arrepiente de haberle enviado un *wasap*, molesto por su incapacidad para alejarse de su vida y el talento de ella para inmiscuirse en su cabeza. Estuvo un par de días en cama, recuperándose, y reconoce que la extrañó. Una versión suya es libre de su madre y hace lo que quiere sin presiones, otra vive agobiada por su personalidad abrumadora, sus reproches y deseos. La versión libre nunca ha podido emerger del todo y vive escondida en un rincón, soñando que un día será capaz de romper las ataduras. Da pasos en busca de su camino y poco después se hunde y recurre a ella.

Su madre llama para insistir y él la escucha, paciente, y responde:

–He visto luciérnagas por primera vez, ranas de un verde que hiere los ojos, ciempiés gigantes, diluvios de grillos.

–Cuidado con meterte monte adentro, hay jaguares y lagartos.

–No te preocupes, animales grandes no hay por aquí, nos tienen más miedo que nosotros a ellos.

–Estarás tomando fotos.

–Por supuesto. Mi cámara es buenísima, inventa cosas hermosas a partir de lo que ve.

–Lo importante es que sean circulables. Mis chicas podrán tener personalidad pero si no salen bien en las fotos o no tienen carisma para la tele están chau. Los de Chicas Fit les piden a sus modelos una "cara Instagram". Creen que han descubierto la pólvora y lo único que hacen es poner lo viejo en palabras nuevas. Me da rabia pero les surte.

Su voz se eleva y él recuerda cuando ella los perseguía con un cinturón por la casa, molesta por una de las tantas cosas que la molestaban, sin saber que ese niño que soñaba con viajar a todos los confines del universo sería luego aquel que, pese a tanta queja, hubiera preferido quedarse viviendo en el cuarto de la infancia, al lado del de ella, en la cama donde jugaba al cachascán con su hermana y desde la que en noches de lluvia veía la borrosa promesa del mundo apoyada en la ventana. Todo eso en un mundo donde no pasaba lo otro.

Antes de colgar se anima a preguntarle si en estos años ha sabido algo de Karina. No es un tema del que le guste hablar.

–¿Por?

–La otra noche la vi en un sueño.

–Tan desamorada, no me hables. Su padre me solía contar cosas hasta que se murió. Supe que se cambió de apellido y se fue a vivir a Atlanta. Pensé que algún día volvería de visita. Luego me resigné. Supongo que es entendible. Igual injusto conmigo. Los hijos un día vuelan de nuestro lado como palomas y no se acuerdan más de nosotros. Tú eres medio que la excepción nomás. Siempre rarito.

–¿Entendible qué? ¿Injusto por qué?

–Rai, has hecho un montón de tonterías y yo te he ayudado, pero siempre he sabido que tú eras el responsable. Nunca acuses a tus papás de tus líos. Puede haber excusas pero al final eres tú nomás. Y punto.

–¿Y la edad, mamá?

–Si te sientas en una silla y los pies alcanzan el suelo, para mí ya eres responsable de tus actos.

Ella cuelga.

Por la noche, ya más recuperado, hace un *deepfake* de Cleyenne. No se contenta con lo que le entrega la *app* FakePorn y trabaja el video siguiendo los consejos de un tutorial de YouTube. Tampoco es que mejore mucho, para hacer algo verdaderamente bueno necesitaría un computador y una tarjeta gráfica potente –y saber de programación–, pero está orgulloso del resultado, del engarce de la cabeza de Cleyenne con el cuerpo de Cindy Sin, una estrella del porno cuyo sello es la cabellera rasta. No se contiene y lo envía a un par de amigos por *wasap*. Les pide que lo borren de inmediato. Uno le pregunta por qué: no se ha dado cuenta de que es un *deepfake*. Otro contesta con la palabra CREEPY y emoticones de caritas llorando; le recomienda que use Snapchat.

Intenta hacer un *deepfake* con Florencia y no le sale tan bien. Sus movimientos carecen de plasticidad. No tiene muchas tomas para escoger.

Volverá a intentarlo.

Valeria le dice a Rai que no puede creer las cosas extrañas que le quieren vender por internet. De la cocina de su cabaña escapa una almibarada fragancia de hierbas. En la baranda que se observa a través de la ventana se posa un pájaro azul con un gusano en el pico. El sol inunda de luz el jardín, fosforece el pelaje de un gato recostado junto a un rosal. Un moscardón ingresa a la casa, se golpea contra una pared y desaparece zumbando.

–Pues sí –dice Rai–, los que manejan internet son los Ellos. ¿Conoces ese cómic?

–¿Debería? No hay una sola librería aquí.

–Te lo bajas de internet y ya.

Rai le cuenta que Alvarenga ha sufrido de ideaciones suicidas y delirios persecutorios; le queda un par de semanas, quizás podría marcharse antes. Ella se opone.

–A partir de dos dosis puede pasar cualquier cosa –dice Rai–. Los voluntarios gozan con ciertos momentos de la experiencia, pero sus recaídas anímicas son preocupantes.

–Tranquilo. El doctor sabe lo que hace.

–No estoy seguro... Estuve con él y me mostró su viaje virtual al mundo de sus hijos.

–A mí también me lo mostró. Lo probé y me dejó la cabeza zumbando durante unos días. Debe ser por eso que te busca solo a vos. ¡Cabeza dura!

–Los brasileños lo compraron con ese demo. Al principio me alegré, luego me dio pena.

–Y todavía falta. El doctor quiere cerrar el espacio entre lo virtual y lo real. Traspasarse. Meterse a lo virtual. O que lo virtual se le meta en el cerebro.

–El delirio neurológico me asustó. Dejé de ser yo por unos minutos. Eso de la encarnación...

–Complicado. Yo estuve viendo a sus hijos por todas partes. Me daba pena verlos. Como si fueran mis hijos y se me hubieran muerto.

–La mujer del doctor no aparecía en ningún momento. Recuerdo cuando me enteré de la historia. Todos nos quedamos pensando en él. No nos preguntamos por qué se fue ella. Qué la motivó a escapar. Porque fue muy arriesgado lo que hizo. Hay un pedido de captura a Interpol. El doctor me contó una historia pero es tan simple que me falta algo.

Ella lleva los platos a la cocina. Él lee en su celular que el Compañero Presidente se ha molestado por unos memes y videos falsos que están circulando de su hija y que piensa mandar al Congreso un proyecto para regular las redes sociales. A Rai le parece ingenuo: ¿regular las redes? Recuerda cuando el gobierno contrató "guerreros digitales" para combatir la publicidad adversa en internet; no pudieron hacer nada ante la avalancha de ingenio popular –y racismo, clasismo y misoginia– en los memes y gifs.

Entre los párrafos de las noticias le aparecen anuncios de paquetes turísticos para asistir al Miss Universo en Bogotá, ofertas de acciones del Club Tenis, tarjetas gráficas de alta calidad, camisetas para niños de la selección argentina de futbol, gafas oscuras. ¿Camisetas para niños? ¿Gafas? Le llama la atención el anuncio de un medicamento para el trastorno bipolar y la epilepsia. Otra vez se equivocaron, piensa.

–Terminame de contar del doctor –le pide a Valeria cuando ella regresa.

–No sé mucho de la historia. Vos sabés, el doctor no era trigo limpio. Lo quiero mucho pero se aprovechaba de su popularidad entre los estudiantes. Por lo que me contó, los amigos hacían apuestas para ver si él la iba a abandonar o ella se iba a cansar primero. Apareció el maderero y eso torció todo.

–O sea que la cosa se había enfriado cuando tomó la decisión de marcharse.

–Creo que sí. Si no hubiera sido por Camila y Manu él habría estado tranquilo. Máximo se hubiera victimizado, le hubiera echado la culpa a ella por lo que hizo y se habría olvidado convenientemente de toda su contribución al drama.

–Y no se supo más de ellos.

–Se los tragó el Brasil. Supongo que hay orgullo también. El doctor los mantiene presentes. Su mujer y el maderero lo obsesionan. Una vez me habló de él. Me preguntaba qué creía que tenía él que él no. No supe qué decirle.

Trae su *laptop* y coloca una música tristona con acordeón y maracas.

–Al laboratorio le doy hasta fin de año –continúa–, el doctor está cerca de lo que quiere. Tendré que buscar trabajo. No hay futuro con las beneficiadoras.

–Me dijiste que tu fidelidad es a las plantas y no a la cosa tecnológica del doctor. Y sin embargo estás aquí. Le tienes cariño a Dunn pero seguro que no solo es por eso.

–Bueno, sí, claro que no. Es raro admitirlo pero me gusta la alita del doctor.

–Pensé que no era fácil conseguirla.

–No lo es pero nos damos modos. La alita de la comunidad que le hice conocer al doctor es demasiado buena. Todo es experiencia sublime y positiva. El efecto colateral es que eso ha ablandado la vida espiritual de la comunidad. A veces un mal viaje es para bien.

Un mal viaje que sea para bien: más metafísica popular.

–El terror que produce la alita del doctor tiene algo adictivo –continúa Valeria–. Veo cosas que me sacan de quicio, literalmente. La otra vez sentí al demonio. No lo podía ver, pero sentía que vivía en un mundo en que Dios no me podía alcanzar con su gracia. No veía a la gente pero estaba segura de que se quemaba y agonizaba. Era un mundo sin Dios. El infierno. Y eso nunca lo sentí con la alita de la comunidad. Eso tiene su valor, ¿no?

Al rato Valeria está sentada sobre él con las piernas abiertas, rasguñándole la espalda. Trata de frenar lo que puede ocurrir, pero ella no se deja, le afloja el cinturón y desabrocha la bragueta. Él está consciente de sus músculos sin definición, el exceso de grasa, la piel blanca y velluda.

Lo observará burlona e incrédula cuando descubra que se ha venido. ¿Tan rápido? Él le pide disculpas, cabizbajo y con voz desfalleciente, a veces ocurren accidentes.

Rai va al baño a limpiarse.

Otra visita al galpón, una tarde lluviosa en que los truenos revientan en el patio y los rayos caen tan cerca que Rai siente su corazón iluminado. Está convencido de que la máquina también moldea su cerebro y percepciones. ¿Qué será hoy? ¿Más patrones, más *glitches* y niños fantasmales?

Se calza el buzo háptico, el material elástico se va amoldando al cuerpo. Antes de sumergirse en la *realidad otra* el doctor le dice que en la encarnación virtual verá otro demo corto que replica la experiencia lisérgica de la alita.

–Es un avance –mueve la cabeza como si asintiera a sus propias palabras–. Han logrado programar el algoritmo para que la red neuronal disminuya la insistencia en patrones. Ahora se enfoca en avatares *inhumanos.* La encarnación virtual no tiene que ofrecernos solo una serie de avatares humanos como posibilidades del ser sino otras formas en las cuales convertirnos.

–Como las visiones de la alita.

–Inspirado por ella, por las últimas experiencias de Valeria y mías. Incluso más. Los circuitos sensorio-motores deben modificarse, de modo que uno pueda sentirse un águila al moverse como un águila. Con nuestros avatares debemos expandir los cerebros. Despertar toda esa parte del cerebro conectada al cuerpo. Este no es un lugar para estudiar a las ratas sino para convertirse en una.

Rai pierde la voz del doctor. Ya está en otro lugar. ¿Dónde? Su voz vuelve. Un apagón. Demasiadas bajas de tensión en Villa Rosa.

Esperan unos minutos hasta que regrese la luz. El doctor reinicia el equipo.

–Son los riesgos de montar un laboratorio en la selva. Por suerte tenemos un generador de emergencia. Pero con esta lluvia... a ver cómo nos va ahora.

Rai divisa a lo lejos una nube filamentosa y gris desplazándose acelerada por el campo visual. Mueve sus muñecas y descubre que la nube se mueve. A la derecha, a la izquierda. Ahora avanza lentamente. De forma gradual, el mapa de su cuerpo se va transformando en el de la nube. Él *es* una nube. Una nube que piensa. El viento lo lleva: sus lóbulos tiemblan, acariciados por la brisa. De la nube aparecen dos brazos con timbres en cada mano. Suena un timbre pero el ruido no proviene de las manos sino de un lugar equidistante de ambas. Es como si el sonido del timbre hubiera salido de su garganta. Una sensación extraña, como si tuviera un brazo fantasma en la garganta.

Aparece un tercer brazo en el lugar de donde proviene el ruido. Con tres brazos está mejor. El ruido es natural ahora. Desaparecen la nube y los brazos. Se convierte en un árbol de tronco grueso por el que desfilan salamandras manchadas y hormigas bicéfalas.

El viaje dura unos minutos. Se saca el casco y el buzo y se queda mudo mirando al doctor, esperando que le diga algo, los rasgos de su cara distorsionados por su cerebro, todavía sacudido por el esfuerzo al que la encarnación virtual lo acaba de someter. Un trueno se mete por la ventana y asusta a Rai.

–La verdad que sí –dice Rai al fin–. Se parece más a la alita que lo que experimenté la otra vez. Bueno, no sé. Esto fue más intenso. Falta mucho, claro. El lado espiritual.

–Esto es apenas una muestra. No se puede comparar. El

viaje con la alita dura horas. Seguro has estado hablando con Valeria. No creo en esa división tan tajante que ella hace entre las visiones y el lado espiritual. Una buena alucinación también te lleva a un escrutinio espiritual. Las reacciones de tu cuerpo a la encarnación virtual no solo pasan por lo visual. El buzo es clave en esto. Hay que fijarse en lo que hace bien la realidad virtual. Es un viaje al pasado de nuestro cerebro. Quizás haremos que el cerebro recuerde las formas de las criaturas que fuimos antes de llegar a ser lo que somos. También es posible que los avatares extraños que se formen sean anticipaciones de aquello en que el cerebro evolucionará en el futuro. Los avances del experimento están haciendo cambiar mis ideas. Las imágenes que la máquina nos entrega de las visiones de los voluntarios son tan creativas...

–¿Ideas?

–Hasta hace poco estuve enganchado en buscar réplicas exactas de mis hijos para disfrutarlos en la encarnación virtual. Los ingenieros me hacían regalos y yo me descontentaba porque algo faltaba siempre. Los dedos, la boca, el *rendering* no eran exactos. El gran sueño es que ellos puedan ser ellos, pero la realidad virtual me está enseñando últimamente que la forma no importa tanto como lo que me transmitan los avatares de mis hijos. Quisiera diseñar otra Camila. Una de tres brazos y cola, por decir algo, pero que sea ella. No necesita tener forma humana. Un Manu que brille como si su cuerpo estuviera hecho de diamantes.

–¿Le enseña eso la realidad virtual o la alita? Con la alita me vi de niño con una cola de lagarto.

–Ya no sé dónde termina una y comienza otra. Sí que las dos saben que nosotros somos monstruos flexibles. El asunto es, ¿lo soy yo? ¿Soy un monstruo flexible?

Rai trata de seguir su razonamiento pero es demasiado para su pobre cabeza en ese momento y se pierde.

Al salir del galpón, todavía algo mareado, le comenta al doctor que no lo conocía como investigador, allá en Cochabamba.

–Nadie es investigador del todo en este país. Pero llamemos investigación a lo que hago ahora mismo. Descubro cosas todo el tiempo. En un experimento que dura una hora me encarné virtualmente en un humanoide rosado que vivía en una isla. Viví toda mi vida en esa hora, llegué incluso a morir, y desde la muerte pude contemplar de nuevo toda mi vida condensada en esa hora. La muerte virtual me hizo comprender mejor la vida. La desaparición de seres queridos y del paisaje. Sí, la encarnación virtual produce traumas reales. Y se puede usar para mal. Es inevitable con cada nueva tecnología, ¿no?

Si lo sabré yo, piensa Rai.

–Solo quiero ayudar a que la gente disfrute de la plantita sin riesgos, Rai.

–Para eso hay que poner en riesgo a los voluntarios, doctor.

–No hay otra forma. Siempre ha sido así. Un riesgo asumido, porque, verás, puede que la pasen mal unas horas pero no es para tanto. Se recuperan y salen incluso mejor de lo que han entrado. Y me preguntarás, ¿eso es todo? Por supuesto que no. Siempre hay más. ¿Recuerdas eso de que el cerebro crea una realidad virtual para aprehender el mundo? La realidad es abrumadora, experimentarla directamente nos puede matar. El cerebro baja la calidad de la resolución, mete toda la realidad en un túnel, así experimentamos algo más manejable. Los esquizofrénicos no tienen algo manejable, los que sufren el desorden tampoco. Por eso lo que hace el cerebro con la realidad es más o menos como manejar un avión real desde un simulador de vuelo. El túnel del yo.

–¿Eso lo leí o me lo dijo ya?

–Son ideas de un filósofo alemán de la mente que me gusta mucho.

Una imagen se abre paso en Rai: la primera vez que experimentó la encarnación virtual, ingresó a la casa del doctor Dunn convertido en doctor Dunn, revisó un estante de libros de neurología y vio uno de un filósofo alemán de la mente. Thomas Metzinger. *El túnel del yo.* Semanas atrás YouTube había confundido los enlaces y le envió la charla TED sobre "El túnel del yo"; él ya sabía que hubo una equivocación y que el enlace era el doctor Dunn. Ahora confirmaba que YouTube había conseguido esa información gracias a Tupí VR.

Entonces, el anuncio que recibió días atrás de un remedio para la epilepsia y el trastorno bipolar, ¿era también para él convertido en Dunn? Lamotrigina, así se llamaba. ¿Dunn está enfermo y la máquina de Tupí VR los volvió a confundir? ¿O es que la máquina sabe algo sobre él que él no sabe? Duda de muchas cosas, pero no de esto: no tiene ni epilepsia ni trastorno bipolar.

–Lo que he aprendido con la encarnación virtual es que no hay piloto –continúa el doctor–. No hay un yo. Apenas somos la suma de todos los instrumentos del avión. Instrumentos que funcionan incluso cuando estamos durmiendo, que se inventan un yo para darle coherencia al sistema. Un yo virtual, también. Una vida interior virtual. Nos ponemos el casco, los audífonos y el buzo y vemos el mundo. No nos damos cuenta, pero sin ellos ya tenemos en la cabeza una realidad virtual a través de la cual vemos el mundo.

Rai asiente.

–La realidad duele. La ausencia de mis hijos duele. Yo no estoy aquí. Son los instrumentos que registran el dolor los que están aquí. Pero si veo a mis hijos en la encarnación virtual, los sentiré de verdad. Volverán a estar conmigo. El dolor y el cariño serán reales. Tanto como con un buen viaje con la alita. Mi cerebro engañará a los instrumentos, como si mis hijos fueran un brazo fantasma. Una ilusión de control, lo sé, pero qué más se puede hacer. Qué más se puede hacer.

Hace una pausa. El dolor de cabeza repiquetea en el cerebro de Rai. Siente náuseas.

–He tratado de entender a Tania. El deseo se enfrió, las energías se dirigieron a los niños, no nos llevábamos mal pero todo se fue apagando. Me dijo que quería irse sola de vacaciones, replantearse cosas. Me asusté. Pensé que me iba a dejar pese a que me aseguró que la cosa no pasaba por ahí, se trataba sobre todo de su relación con la empresa, la explotaban pero también querían promoverla y le ofrecían un puesto en Buenos Aires. Se fue de vacaciones, quedamos en que no aceptaría la oferta. Pasó el mes y volvió con las pilas puestas y a los seis meses Camilita me preguntó quién era ese señor que venía al parque a visitar a mamá. Ahí explotó todo. Tania se fue de la casa con los niños. Los primeros días la llamaba y hacía que escuchara por el teléfono el percutor de un revólver. Quería que volviera y no sabía cómo y me porté como un imbécil. Un día desapareció. Dicen que se fue al Brasil. No lo sé, no la vi cruzar la frontera, pero me vine corriendo a Villa Rosa. Nadie me pudo ayudar. Ni la policía ni Interpol. Sabía que se había ido con alguien. Sabía quién era él. Acampé aquí. Pasaron los meses. Un día me descubrí armando fichas sobre ese hombre. Revisando las redes y coleccionando fotos, frases suyas. Era ejecutivo de la asociación nacional de madereros. Sus declaraciones no eran memorables, frases vacías y trilladas. Pero algo en él atrajo a Tania. Un yo virtual le había llamado la atención. La encarnación virtual, ¿podría darme alguna respuesta? ¿Podría yo ser él en la máquina y así saber qué la atrajo? Mejor no sigo. ¿Para qué le estoy contando estas cosas?

El recién llegado voluntario Villavicencio –andar de pato, luchador de MMA– se saca la gorra del equipo de EEG, patea la máquina ambulatoria, hace caer su trípode y tira una silla contra la pared. Dice que lo quieren matar, que recibe ondas magnéticas enviadas por un ovni que flota sobre su cabeza y le informa de los planes de los doctores. Un vendedor de zapatos cerca de la plaza es el dictador de la Confederación Galáctica y le debemos obediencia. El resentimiento de los demás le da fuerzas para seguir.

Golpea a Yesenia cuando intenta tomarle la presión. Todos están contra él y no lo dejan dormir. Trabaja en un aserradero y los dueños llegan en su avioneta.

–Hemos comenzado con el cambará, su palo blanco, sus hojas rosadas. Ideal para puertas y ventanas. Cajonería. Tornería. Ebanistería. Molduras y paneles. Si destruís algo hermoso construí algo más hermoso todavía.

Cuesta convencerlo de regresar a su cubículo. Dice que está bañado de sangre y se frota contra las sábanas para limpiársela. Todos están bañados en sangre. Un ciempiés largo y rojo se ha entrado a su cama y cuando despertó se había metido en su boca. Se puso los zapatos y descubrió que una tarántula anidaba en el fondo. Una hormiga tucandera casi lo deja sin un dedo.

Quiero irme –dice–. Un hombre me golpea todas las noches en el galpón.

Al final logra dormir. No se acuerda de nada cuando despierta.

Después del incidente del mercado a Rai le es más fácil entender qué les sucede. Eso no significa que pueda ayudarlos. Cuando les viene el brote no es fácil calmarlos. Hay que hablarles y buscar palabras e imágenes que unan la realidad que están viviendo con la otra, la verdadera, y luego romper el encantamiento de golpe y saltar para traerlos a este lado de la orilla, sabiendo que la otra orilla está ahí, es también parte del mundo, y en cualquier instante puede regresar.

Como este instante, en que Rai ve a un don Nataniel de bordes difusos hablando con Karina en el patio.

Piensa y experimenta estas cosas mientras siente que un brazo fantasma sale de su garganta.

En el *wasap* de su promoción circula un video de la hija del Compañero Presidente en una orgía. Rai escribe, convencido de que nadie entiende sus palabras:

> un *deepfake* bien hecho pero le falta

Alguien le pregunta si lo ha hecho él.

> nada q ver Por q yo?
> Hiciste circular hace tiempo un par de estos videos
> no es pecado

Otro interviene haciéndose la burla de los deseos del gobierno de normar las redes; han arrestado a un dibujante que hizo un meme de un ministro y lo dibujó como si fuera un sapo.

> quieren intimidarnos pero no podrán hacer mucho les
> ha dolido el ataque ojalá haya + videos así

Otro dice que por más que odien al Compañero Presidente mejor no meterse con su familia.

> q culpa tiene su hija?

Rai busca en BoliviaXXX el *deepfake* de la doctora Cosulich. Está todavía ahí con la etiqueta "doctorita gustosita", su huella casi imperceptible: menos de cien personas lo han visto. El puntaje: 82%.

Lo tienta enviarlo a sus compañeros, para que reconozcan sus avances y comparen la calidad. No lo hace: saldría perdiendo.

La tarijeña se ha ido del laboratorio. Rai se preocupa.

Cleyenne no aparece para la nueva ronda. La encuentra en su habitación recostada de espaldas. El lugar huele a crema de pepino.

–Hora de comenzar con los experimentos, Cley.

No le contesta. Insiste. Silencio. Le pregunta si pasa algo. Vuelve a ignorarlo.

–Estás tensa. Déjame que te revise la espalda. Vas a ver cómo te relajas.

Pone las manos en su espalda y ella reacciona con violencia: se da la vuelta y le da un sopapo.

–*Filho da puta, vai embora daqui* –grita y gesticula mostrándole la puerta.

Se frota la mejilla. Rai trata de bromear: lo cierto es que duele.

Al día siguiente Cleyenne se va del laboratorio sin avisar. Una llamada de su madre a Valeria le informa que no volverá. Está encerrada en la casa de sus padres y no quiere salir. Se ha rasguñado un hombro y la madre cree que ella misma se lo ha hecho. Un morete en el cuello.

–Los voy a denunciar, qué le han dado a mi *filha. Esso não é alita. Eu conheço ela e ela é boa.*

La doctora le replica que puede venir cuando quiera, nuestros papeles están en orden, al laboratorio lo avala el gobierno.

–País *vergonha* –dice la madre y cuelga.

La doctora interroga a los guardias, ¿cómo dejaron escapar a una voluntaria? Habla con una empresa de seguridad de Rio Vermelho y consigue que envíen dos guardias nuevos esa misma noche.

Cleyenne regresa al laboratorio al día siguiente. La blusa de tirantes permite que se vean los rasguños, un morete en el cuello. Dice que vuelve porque necesita la plata. Valeria le pregunta qué le ha ocurrido. Se queda callada. Luego dice: fui yo misma.

Rai se pregunta qué ocurre en el galpón entre los voluntarios cuando se van a dormir y no se están llevando a cabo las pruebas. ¿Será necesario que las enfermeras o uno de los doctores se queden de custodios?

Apenas están solos Cleyenne le dice que ni se le ocurra volver a tocarla.

–Eu tenho voce assinado, vai tomar no cu.

Rai sugiere a Valeria dejar libre a Cleyenne: la nota sensible, no es buen momento para que continúe con los experimentos.

No le hace caso. Necesitan voluntarios y les está costando encontrarlos. En el pueblo corren rumores nefastos del laboratorio.

Los días siguientes Rai verá más cosas raras entre los voluntarios. Choque con marcas de quemaduras en la palma de una mano. Alvarenga con señales de un mordisco en un antebrazo. Cleyenne con un corte en un muslo que requerirá de puntos.

Ninguno querrá dar explicaciones. En sus relatos ansiosos notará coincidencias entre ellos y con lo que él mismo ha experimentado algunas veces. Menciones a presencias furtivas que asoman en sus habitaciones. Sombras que nacen de las paredes y se materializan a sus pies, como escapadas de otra dimensión. Insectos mutantes que se despliegan por sus camas o en el piso mientras se duchan. Ciempiés viscosos, tarántulas que te hipnotizan desde su inmovilidad, hormigas bicéfalas con patas de araña, cuervos que te miran desde el otro lado del espejo. A veces la aparición lleva un machete. A veces es un hombre alto, los brazos tatuados.

Le cuenta de estas cosas a Dunn, que viene al recinto una tarde a hablar con los voluntarios.

–Es normal –dice el doctor–, las visiones de la alita producen efectos persistentes pero luego se van desvaneciendo.

Y también las de la máquina, piensa Rai pero no se lo dice.

–En el caso de Alvarenga, su Gigante parece que llegó para quedarse –insiste–. Como una realidad virtual propia.

–Tendrá neurotransmisores inhibitorios sensibles. Son los que permiten que nuestro cerebro lidie con tanta información visual y auditiva que nos llega a cada instante. Cuando fallan, esas percepciones que suelen inhibirse podrían salir a la luz y cruzarse con la nueva información que recibimos. Un desorden. Se le pasará. La alita no le ha hecho daño a nadie.

–Yo... yo también estoy viendo cosas.

–Todos vemos cosas todo el tiempo, Rai. Hay un universo invisible detrás del visible. Y puede que no haya correspondencia entre uno y otro. La alita lo saca a flote. Como cuando rayábamos de niños una hoja especial hasta que aparecía el dibujo escondido. A veces se revela todo ese dibujo. Otras sola una parte. Cada uno de nosotros tiene una sensibilidad diferente en su cerebro.

–Pensé que la alita revelaba lo sublime del mundo.

–Y lo sublime negativo, también. Recuerda: ella solo trabaja con lo que le das.

El Gigante, su versión del Gigante, se asoma por una puerta del recinto haciendo estallar sus nudillos y cruza la sala hasta detenerse a metros de donde está Rai. Es una figura fantasmal, un coloso que no termina de materializarse. Rai escucha un silbido, como si un machete cortara el aire; el ruido de los nudillos y el silbido se apoderan de sus oídos. Todo se cubre con un manto borroso: una interferencia, ondas venidas de otro canal. Tarda en recuperar la nitidez de las imágenes.

Deja de mirar a Dunn y observa al Gigante, seguro de que todos lo están viendo y también se dejan distraer por el silbido y la explosión de los nudillos. Pero nadie más que él se ha dado cuenta de su presencia. Un viento fuerte crea un remolino de tierra en el patio e invade la sala.

¿Debería decírselo a Dunn? Mejor no. Dirá son neurotransmisores sensibles y lo minimizará. Igual que Valeria. Están enseñados todos. Y él es incapaz de oponerse.

Al final de la reunión el Gigante ya se ha ido y Dunn le pregunta qué miraba con tanto detenimiento.

–Nada, solo pensaba en un test para probar con los voluntarios.

Una noche, después de probar la alita en la cabaña de la doctora Cosulich –sí, lo ha vuelto a hacer–, Rai sale a la mata y se descubre a las puertas del edificio de la Casa Roca.

Un edificio de corte neoclásico, con fachada con columnas dóricas y cúpula romana. El portón abierto, los pasillos oscuros y laberínticos, gracias a su visión nocturna puede orientarse por ellos.

En una sala seis hombres sentados frente a máquinas de escribir Remington. Sus nombres en placas de metal en las mesas: Walter Drück, Henri Süsli, Jaime Oettli, Maurice Baechtoll, Ed Brand y Emilio Séller. Rai escucha una voz lánguida: Villa Rosa está llena de suizos y franceses y hay periódicos en cuatro idiomas, canchas de tenis, cine, teatro, salón de billar, biblioteca, tendido eléctrico, el mejor hospital de la región, los médicos también suizos.

Don Nataniel ingresa a la sala acariciándose los mostachos; da instrucciones sin mover los labios –su voz sale de algún lugar del cuerpo– y los hombres se ponen a escribir en las máquinas. Lo acompaña el Gigante. Son cartas en inglés, francés, español y alemán, hablan del transporte de productos y de operaciones contables.

–¿Estamos todos muertos? –pregunta uno. Mueve los labios, pero la imagen no coincide con la voz: hay un retraso entre el momento en que la boca articula las palabras y aquel en el que estas se escuchan.

–¿Estamos todos vivos? –pregunta otro.

–¿A qué hora llega el hidroavión? –pregunta uno–. En toda la escena no hay sincronía entre el movimiento de los labios y el sonido de las palabras.

–¿A qué hora es la película? –pregunta otro.

–Edmundo Knott declara hablar recibido la suma de doce mil bolivianos –escribe uno en su máquina, sus manos ramas de árboles, en el pecho le crecen hojas–, para trasladarse al norte en representación de la Casa en la primera quincena del presente mes para el enganche del personal.

Otro escribe mientras salen por sus ojos hormigas bicéfalas con patas de araña:

–El joven Napoleón Estivarez, que encabeza una empresa industrial en el río Cualquiera, en el lugar llamado Cualquiera ha sido víctima de la alevosía feroz de los Cualquiera.

–¿De los Cualquiera?

–Ya anteriormente los mismos salvajes habían dado muerte a dos mozos pertenecientes a los industriales Endara y Méndez.

–¿Fidel Endara, el experto cazador de salvajes? En los periódicos dicen que los abate heroicamente.

Don Nataniel aparece junto a un mecanógrafo y dicta:

–Dice el presidente de la nación que la naturaleza y la civilización condenan fatalmente a la extinción a los seres que están próximos a las bestias cuando con la ferocidad de bestias pretenden oponerse al progreso humano.

¿Bestias con ferocidad de bestias? El Gigante asiente.

Don Nataniel acaricia su cola de mono y sigue dictando:

–El señor Moutton, cuya intrepidez se ha puesto otras veces a prueba, logró alcanzar y sorprender a los salvajes Cualquiera, cuya tribu exterminó casi totalmente, pues fueron solo dos niños que consiguieron huir.

–¿Uno de los niños se llama Alvarenga? –dice un secretario.

–¿Uno se llama Raimundo? –dice otro, su piel la corteza de un árbol.

–Raimundo, inmundo –el Gigante se carcajea–. Raimundo impuro.

–¿Llegaron los repuestos para la maestranza? –otro.

–¿Llegó el servicio mecánico para las embarcaciones? –otro.

–¿Aprobaremos el tendido ferrocarrilero a lo largo de las cachuelas? –otro.

Se jala la piel y un líquido espeso y blancuzco gotea al suelo. El Gigante abre la boca y escupe una lengua de fuego. Descubre la presencia de Rai detrás de la ventana y se acerca con pasos que resuenan en todo el edificio. Un paso, bum, otro paso, bum. El suelo un temblor. Las lámparas oscilan.

–¿Ya has entregado tu jornal?

–Me falta –responde Rai.

Un sopapo le cruza el rostro. Vou te cortar una orelha, *grita el Gigante, la voz salida de la garganta. Los compañeros de la comunidad de Rai se hincan y bajan la cabeza, prohibidos de enfrentarse a su mirada.*

–¿Le cortará una oreja? –dice un secretario–. Esto hay que anotarlo.

La mujer de Rai tiene las marcas rojas del látigo en su espalda. En la página en que escribe el secretario aparece el dibujo de una oreja escrito con letras de la máquina.

El hijo de Rai se acerca al Gigante y este lo tira al piso de un empujón. Rai se le acerca embravecido:

–Eso no lo voy a permitir.

El Gigante lo agarra entre sus brazos y lo larga al cielo. Va cayendo hacia el espacio y se pierde entre las estrellas y quiere agarrarse de la cola de un cometa y no puede, aferrarse al polvo cósmico que flota entre los planetas y no puede, y sigue dando tumbos hasta caer a las puertas de la Casa Roca.

Don Nataniel y el Gigante salen de la Casa y pasan a su lado sin verlo.

–He enviado una comisión destinada a correr a los salvajes –dice don Nataniel.

–Não é una companhia *fácil* –dice el Gigante–, atacarlos en suas aldeias y perseguilos na floresta. Solo con a ajuda de bons perros, a pericia dos hombres acostumados al monte y o arranjo conveniente das marchas, se puede sorprenderlos y dominálos. No dia siguiente subiremos hasta o rio Cualquiera. Iremos ás tribus a comprar meninos. Los selvagens nos esperarán bem apetrechados.

–No es empresa fácil –repite Rai, desfalleciente–. Solo con el auxilio de buenos perros.

Rai lagrimea en la ducha. Habla con Sisi, que se niega a abrir sus hojas –¡soy un asesino!–, hasta que viene Valeria, le dice que se le ha olvidado regarla y la despierta con un vaso de agua. En el almuerzo estalla en carcajadas en plena charla con Sánchez y la ingeniera informática y los abruma con definiciones del Tesoro: *¿sabían que la particular naturaleza del camaleón es mantenerse del aire y mudarse del color que se le ofrece en su presencia, excepto la rosa y la blanca, que estas no las imita?* Despierta acongojado y se deja consumir por el horror, como atado a las rieles del tren y a lo lejos el pitido de la locomotora. Busca un espejo para ver si la falta de apetito está afectando su complexión y descubre en el reflejo un cuervo de ojos sucios, sus garras sobre el lavabo. Es una imagen desvanecida, como si se hubiera gastado a fuerza de circular tanto.

Quiere darle instrucciones a Yesenia pero se le anudan las palabras y solo atina a balbucear *Camila* y *Manu.* Ella lo mira como si estuviera a punto de tener otro brote y él le menciona su cansancio por haber preparado una prueba para los voluntarios hasta la madrugada. Yesenia sugiere hablar con el doctor Dunn, y él *por favor no diga nada.* Le sorprenden las arcadas y corre al baño a vomitar.

Alvarenga y sus recuerdos cada vez más precisos del Gigante: se metía tabaco a la boca y lo escupía. Andaba con un machete a la cintura, decía que para espantar taturanas –una picadura de esa oruga venenosa en el dedo gordo lo dejó rengueando durante meses–. Estuvo a punto de ahogarse en el río porque caminaba por un sector pandito cerca de la orilla y de pronto cedió y él no sabía nadar; uno de sus hombres lo salvó. Escuchaba *heavy metal*, era fan de Sepultura y Judas Priest. Daba vueltas por el campamento y gritaba que le debían un montón y que ni toda una vida les iba a alcanzar para pagarle. Le gustaba recordar sus días en una empacadora de banana por el Ichilo, cerca de Puerto Villarroel, donde vivían los yuracarés; era capataz de la empacadora, no le pagaban bien pero tenía cuarto y cama fijos. Se quejaba de que los bolivianos eran flojos y borrachos, *uma raça ruim*. Una vez golpeó a la madre de Alvarenga en la cara porque ella andaba afiebrada y no quiso levantarse a trabajar. Su padre no salió en su defensa por temor a la represalia y Alvarenga decidió fugarse al día siguiente. Caminó por la selva dos días hasta llegar a un poblado y pedir ayuda, pero no pudo decir dónde estaba el Gigante y su gente y ya no volvió a ver a sus padres.

Llora y Rai lo abraza; en su llanto se filtran ruidos de chanchito, como si quisiera contener la respiración y no pudiera.

Rai le promete que lo va a defender, no dejará que nadie lo toque. Le palmea la espalda. Su Gigante está más construido que el de Rai. Abundan en él los detalles y precisiones, mientras el que ronda a Rai es todavía una *tabula rasa*.

Le pregunta si no quiere desquitarse vicariamente del Gigante.

–¿Cómo así?

–Es una terapia que funciona. Haz de cuenta que soy el Gigante y dame un sopapo.

–¿Habla en serio?

–Sí, claro.

Un golpe en la nariz y la boca destempla a Rai. El dolor le estremece la cara y recorre los dientes. Alvarenga intenta pedirle disculpas y él se niega a aceptarlas. Lo observa confundido. Comprueba que está todo bien de su parte y se relaja.

Sánchez se sienta al lado de Yesenia en el desayuno, y ella se levanta de inmediato y se cambia de mesa, sentándose junto a Rai. Sánchez hace ademán de seguirla, pero duda y se marcha del comedor. Yesenia le pone kétchup a su revuelto de huevo, se mira las uñas desprolijas del color de las nubes antes de la tormenta. Revisa su celular, escribe un mensaje con más emoticones que palabras. Tira al suelo un pedazo de su revuelto, para Yimi, que hace ruidos extasiados, aunque luego Rai cree escuchar: no gusta no gusta.

–Fue su culpa –dice Yesenia de pronto.

–No me tienes que explicar nada –dice Rai.

–Igual, yo debí pararlo cuando la primera noche que salimos se puso a hacer planes de irnos a vivir juntos. Sin consultarme. Qué podía decirle, los ojos le brillaban como el hervor de un mineral precioso.

Esa es una linda imagen, piensa Rai.

–Por idiota le hice caso cuando me pedía mensajes y selfis a toda hora. Luego me volvió loca. Era su forma de asegurarse de que estaba sola o en el lugar en el que decía estar o pensando en él. Lo veía en el edificio mientras atendía a los voluntarios y apenas iba al baño me llegaba un *wasap*.

Hace una pausa, luego continúa:

–Quizás deba irme unas semanas donde una prima en Rio

Branco. Si tuviera plata podría aprovechar para hacer ese curso de instrumentista que me recomendaron. Tendría que prestarme. Mis pobres ahorros, me da un poco de vergüenza pero era verdad, me engañaron con los diamantes. ¿Quizás mis hermanos? Curioso cómo alguien que creía conocer se volvió un extraño de pronto.

Rai está a punto de decirle algo cuando Yesenia se levanta y se va. Sánchez aparece, se sienta junto a Rai y revisa los mensajes en su celular. Rai revuelve su café.

–¿Te dijo algo? –pregunta sin dejar de ver el celular – ¿Te parece buenota?

–¿Qué?

–No me hagás caso –dice Sánchez y señala al celular–. Me va a llevar a la quiebra. Sus recomendaciones han mejorado mucho. El otro día seguí sus consejos e hice un montón de pedidos a una subsidiaria de Amazon que opera desde La Paz. Solo que el correo debería ser anónimo. Encargué unas cosas íntimas y vino un tipo a dejármelas en la puerta. Me miró como bicho raro. Ha debido pensar que soy gay.

–Complicado.

–¿Eso es todo lo que vas a decir?

Sánchez se levanta de la mesa y se va del salón comedor.

Rai observa desde la ventana del estudio un desfile de misses *en el patio. La señorita Cadáver es de piel tan blanca que cualquiera la llamaría albina. Se acerca al micrófono: chicas, quieren eliminar los trajes de baño de la competencia, no nos dejemos, ¿para qué* misses *sin ellos? Aplauso cerrado. Miss Caucho es flaca como una liana, de sus manos sale la savia: al parecer, durante los años de la colonización pionera fue cuando se dieron los enfrentamientos más violentos y sangrientos con los salvajes, como consecuencia de la oleada migratoria al norte-noroeste. Miss Frontera es jorobada: mi plato favorito es el majao, pero ahora lo están haciendo muy seco, a mí me gusta bien mojado. Miss Achacachi: basta de rubias y blanquitas, ¿de nada han servido estos años? El proceso de cambio debe eliminar este concurso y crear un Señorita Plurinacional, pero imposible si al vice se le siguen yendo los ojos con las* misses *recicladas de conductoras de los mañaneros en la tele. Miss Cholet es travesti y lleva multitud de aros en los brazos: el Compañero Presidente se quiere eternizar. Miss Silicona estornuda: les recomiendo tetas nuevas a todas las que pueden, porque la que puede puede, beishos, y la que no se opera no prospera. Miss Litoral levanta las manos triunfante: y ahora que hemos perdido de nuevo cómo volveremos al mar, es una pena que llevo en mi corazón, para olvidar tu querer chiquita, para dejarte de amar mi vida, voy a tomar veneno para olvidar. Miss Compañero Presidente tiene el cabello churco y susurra crecémelo, papito. Miss Mujeres Creando se ha rapado el pelo: los concursos de belleza son instrumentos del opresor masculino, hay que renunciar a ellos, no darle más victorias para su capital simbólico. Miss Tiquipaya es gordísima y apenas puede caminar: a los diecisiete años la mánager de Promociones Delia me llevó con engaños a una fiesta en su casa de la Ramón Rivero, me dijo que si la pasaba bien con un señor canoso que aguardaba en la sala me ganaría quinientos dólares, dije no pero ella puso la plata en mi cartera* anyway, *me tentaba pero tenía dudas, le daré charla y veré como escaparme, pensé, una vez ahí no fue tan fácil, terminamos en un cuarto de invitados, cerró la puerta y me pidió que se la chupara, lo hice llorando, me tiró contra la cama y apoyó su mano en el cuello mientras me subía el vestido, uno azul de algodón, no lo pude volver a usar, se bajó los pantalones, todo se nubló, salí corriendo apenas me dejó levantarme, la policía nunca me hizo caso pese al informe médico que hablaba de laceraciones, es pues su culpa, dijeron.*

Rai acababa de volver de vacaciones en Santa Cruz cuando se enteró de esta historia. Su madre se la contó con un tono de burla y desprecio. Hay mil testimonios en mi defensa, la voy a hundir a esa cara de plato, no sabe con quién se mete. Una mañana en el desayuno le dio a Rai un sobre con billetes, que lo llevara a casa de Miss Tiquipaya. A ver si así se tranquiliza, ahora toda una santa la niña pero cómo me rogaba que la conectara. Si fuera por mí le metería juicio pero Pedrito no quiere tener líos y ella está hablando mucho. Rai le pregunta si lo que cuenta es verdad. Pedrito acepta que se extralimitó, sin duda, pero nadie es inocente. Además que pasó hace ocho años. ¡Ocho! ¿Te imaginas?

En el auto, con el sobre en el asiento del copiloto, Rai duda sobre si ir o no. Al final, decide que sí.

Rai sigue en su celular una conferencia de prensa del ministro de Gobierno. Han arrestado en Santa Cruz a tres jóvenes responsables de los videos denigrantes de la hija del Compañero Presidente. Serán enviados a Palmasola como escarmiento y advertencia. Las cámaras muestran las computadoras requisadas: no parecen tener la capacidad técnica necesaria para la sofisticación que ha visto Rai en el *deepfake*. ¿Serán culpables o estarán siendo usados para amedrentar a quienes atacan al gobierno en las redes?

Un canal entrevista a la madre de uno de los jóvenes: llorosa, dice que su hijo es inocente. Su madre estaría igual si lo acusaran a él en público, piensa Rai, defendiéndolo a destajo en todos los medios.

Se duerme viendo dibujos animados en portugués. *¡Olá, pessoal!* Sus pacientes del Centro aparecen en un sueño, una versión libre de su primera mañana en el trabajo, cuando Rai se puso una máscara de payaso y ellos no pararon de reír, una risa histérica, de cristales rotos, que convocaba al nerviosismo y lo hacía reptar por el pasillo hasta apoderarse del Centro. La que más le gustaba era Anahí y a ella terminó dedicándole el *deepfake* que lo metió en líos. Pelirroja, pecosa, el pelo ensortijado y el cuerpo macizo, la blusa apretada como si hubiera aumentado de peso en las últimas semanas. Escenas distorsionadas de esa tarde en que Rai hizo que el personal del Centro se disfrazara de empleado en un casino, para que los pacientes se divirtieran apostando al blackjack y a la ruleta (Anahí insistió luego en que lo volvieran a hacer, pero para entonces los superiores de Rai miraban sus métodos con suspicacia).

En el sueño Anahí le pregunta por sus padres. Se ríe al enterarse de que su madre es la mánager del Miss Cochabamba ("me quería enganchar con una de sus *misses* y yo no me dejaba: tan seguras de sí mismas, me mareaban"). De su padre le dice que era celoso y abusivo y le gustaba boxear con él en el garaje de la casa. Me hubiera encantado dedicarme al boxeo profesional, decía, ahora estoy excedido de peso. Se fue de la casa después de darle una paliza a su madre que la llevó al hospital con la nariz rota ("no lo he vuelto a ver y me estoy olvidando de su cara, es mejor así, me duchaba con ropa y el agua helada, me cinturoneaba, me encerraba en el sótano con las luces apagadas"). Después su madre tuvo un novio pelón, dueño de una tienda de mascotas, le regalaba pescaditos para su acuario. Un acuario hermoso, lleno de luz y de peces coloridos, con un galeón hundido en el fondo. La atracción del barrio. Venían los chicos del Club Tenis a verlo. Querían tener peceras propias y les enseñaba cómo armarlas y les vendía pescaditos.

Despierta sobresaltado.

En la ducha se pregunta por qué en el sueño le dijo a Anahí que su padre había pegado a su madre. Nunca le alzó un dedo, pero quizás percibía que lo hubiera querido hacer, esa época en que tuvo que irse de la casa después de que ocurriera lo de Karina.

Con el champú en el pelo se queda recordando la época posterior a la partida de su padre; le vienen imágenes de cuando su madre lo convirtió en su asistente. No había terminado el colegio y ya llevaba su contabilidad e iba a cobrar a oficinas en bancos y estudios de arquitectura. Sospechaba de qué se trataba pero se hacía el tonto. Un compañero en el cole le preguntó si eran verdad los rumores y Rai se agarró a golpes con él.

Una vez fue al aeropuerto a esperar a una *miss* anoréxica que llegaba de Santa Cruz, mascaba chicle con la boca abierta y le hablaba de sus ahorros para sacarse dos costillas, estaba de moda en Buenos Aires. Llevaba botas y un cinturón con una placa de metal con un toro al centro, él le dijo *estás lista para actuar en una de cowboys.* Su sueño era trabajar en una aerolínea como azafata. La llevó a una plaza a los pies del San Pedro, desde donde se podía ver el Cristo, para que se encontrara con un ingeniero. Otra vez llevó a una chica a las oficinas del partido del político de la cara quemada. Debió esperar en el parqueo mientras ella lo visitaba durante una hora. Llegó con el lapiz labial corrido y una sonrisa. ¿Sabés que va a ser el próximo presidente?, dijo. Al llegar a casa Rai se quejó a su madre, le dijo que lo ponía en una situación humillante, y ella le preguntó si era un hombre o un ratón. Porque a los ratones no los necesito cerca. Bajó la cabeza.

De a poco, su madre lo convertía en su padre.

Rai fantasea con las posibilidades que abre el juego del doctor Dunn. Con las cosas que, enfundado en el buzo háptico, les haría a los avatares virtuales –hombres con cola, mujeres con tentáculos, plantas carroñeras.

Hasta los deseos y los sueños se actualizan, piensa.

El juego puede captar los deseos más profundos. Tupí VR ha creado una plataforma extractora de datos, harto más profunda e impredecible –por ahora– que Google o las redes sociales. Las redes tienden a ser obvias, ofrecen cosas basadas en lo que uno dice en los mensajes o los "me gusta", el historial de compras y las elecciones previas; el juego, en cambio, se sumerge en el inconsciente, ofrece cosas a partir de sueños, pesadillas, memorias de la infancia, ilusiones no formadas del todo. Pero en el juego uno es *otro*, y por eso a veces la máquina, todavía en período de pruebas, se confunde y saca datos de Rai convertido en doctor Dunn y le llega un enlace a una charla TED sobre *El túnel del yo* o el anuncio de un remedio para una enfermedad que no tiene.

La encarnación virtual nos permite ser otros, piensa, pero para ser ese otro debemos prestarle nuestro cerebro. Así, mientras jugamos a ser otros, la compañía cosecha información actual que permite predecir nuestra conducta y quizás moldearla después. Se piensa en el futuro pero lo que en realidad les interesa son los patrones de conducta del presente. Cosas que permiten ofrecer qué comprar, con quién casarse o a quién votar.

A Dunn lo han hecho parte del proyecto ofreciéndole la posibilidad de volver a estar con sus hijos en la encarnación virtual. Quizás sabe de los planes de Tupí VR y es socio, o quizás no le importa.

¿Dejará de aceptar las invitaciones del doctor Dunn a probar demos? No es fácil. El juego es adictivo. Cuando se enteró de que Facebook vendía su información privada a otras compañías le costó salirse porque se dio cuenta de que estaba en lo mismo: él también era un extractor de datos privados. Al final lo hizo porque había compartido *deepfakes* por mensajes en el feis antes de que la compañía los prohibiera, y temía que se hicieran públicos (la ley todavía no estaba de su lado, las conductas sí: eran innumerables las fotos y videos de actores y políticos y gente normal teniendo sexo que se robaban y hacían públicos diariamente: la privacidad ya no le pertenecía a uno, se redistribuía entre muchos). Si no hubiera sido por eso, aun sabiendo lo que sabía, seguiría allí.

Nuestros juegos están trabajando en nuestros sueños, piensa.

Valeria le cuenta a Rai que desde niña tuvo la capacidad de salirse de su cuerpo, flotar cerca del techo de su habitación y verse durmiendo desde ahí. Con la alita esa capacidad se ha multiplicado y le ocurre no solo cuando está durmiendo: a veces hay cuatro o cinco Valerias en la misma sala y debe hacer esfuerzos para mantener la concentración. Rai se pregunta si esa historia es coincidencia o si por eso la ha contratado el doctor Dunn.

Su madre la castigaba encerrándola en un garaje. Veía pecado en todo, abrumada por la educación de un padre obsesionado en protegerla de la lujuria de los hombres. La madre ingresó a una secta espiritista después del divorcio; hacían sesiones en el sótano de la casa. En todas las paredes pintó esvásticas, según ella para alejar al demonio. En las barandas de madera formó esvásticas con clavos, por eso cada vez que Valeria escucha un martillazo le vienen ganas de orinar. A los diez años se pintó los labios jugando con una amiga con la que había tenido los primeros escarceos y la madre la encerró en el garaje por recomendación del líder de la secta. Debía quedarse allí hasta que jurara que no lo volvería hacer. La niña tardó en aceptar la culpa. Esa fue la primera vez. Llegaría a visitar el garaje con frecuencia. No había luz allí y apenas podía moverse entre muebles y cajas. Escuchaba ruidos como el golpeteo de un látigo e imaginaba ratones y ciempiés. El retumbar de unas botas, como si un gigante caminara en el subsuelo, como si debajo del garaje se encontrara la boca del infierno. Se fue acostumbrando a la oscuridad, sus ojos podían percibir los rebordes de los objetos en la penumbra. Encontró un triciclo viejo, sillas rotas, osos de peluche descuajeringados. Su muñeca Bruce Lee le hablaba. No podía decir que fuera una amiga imaginaria porque estaba allí presente, los ojos verdes de cristal y el cuerpo de plástico. Un día la madre le dijo que le había llegado una iluminación y que su cuerpo debía prepararse para recibir la semilla del líder de la secta. Ella era la elegida. Esa misma noche decidió escaparse. Rompió una ventana de su cuarto y se fugó.

Valeria dice que Bruce Lee se le aparece en la cabaña por las noches. Y Rai, que estaba enganchado con su historia, comienza a dudar. Tanto los doctores como los voluntarios están viendo cosas y contando historias que parecen verdad, que las sienten como verdad, pero que no lo son. O al menos él no está seguro de que lo sean, pese a la fuerza de algunas imágenes. El Gigante está quizás basado en un personaje real, pero ¿no es un invento de Alvarenga? ¿Y aquella figura parecida al Gigante que lo visita? ¿Y don Nataniel? La historia del mismo Dunn: ¿de verdad fue su hija quién descubrió el engaño? ¿Llegó a coleccionar fotos del empresario maderero?

Deberá volver a hablar con Dunn, porque desconfía de Valeria y de Sánchez: están enganchados en sus propios viajes. Pero, ¿valdrá la pena? ¿Hay alguien aquí no enganchado en su propio viaje?

Está tratando de frenar la avalancha.

Lee en internet sobre el empresario maderero que se fue con la mujer de Dunn. Huáscar Parada odia al gobierno y culpa de todo al Compañero Presidente. Dice que a la industria la están matando la competencia desleal del contrabando y la carga impositiva. Cuenta que un agente de impuestos vino a hacer una revisión a su tienda, encontró facturas de una mujer que no estaban bien giradas, y como la mujer ya no vivía en el país le echó la culpa a él. Tuvo que pagar tres mil dólares de multa por consejo de su abogado, pese a que era inocente; de otro modo no lo iban a dejar tranquilo.

Hay entrevistas a su madre, a quien le dejó la casa embargada cuando se fue, y a su socio, con deudas hasta el cuello por su culpa. La madre no puede creer que se haya ido. No es de esos, dice, ya volverá. Al socio le cuesta imaginarlo enamorado. Un tipo calculador, jamás pensó en otra persona que no fuera él. Para mí que la mujer lo embrujó, ha debido tener algún poder especial. Para colmo con dos hijos, él que es tan comodón. Es la parte más difícil de entender. No fue una relación larga, se veía con alguien pero nunca me la quiso presentar.

En las fotos aparece con el pelo levantado y raya al medio. Camisas manga larga, sacos, corbatas. La formalidad hecha hombre. A veces con barba de dos o tres días, esa parece ser la principal transgresión.

El doctor no la cree capaz de dejarlo e irse con sus hijos por él. El socio y la madre tampoco ven a Huáscar como alguien capaz de fugarse con una mujer con hijos. Tania y Huáscar como pareja no tienen sentido para nadie. Una relación desbalanceada, en la que ella parece tener mucho más que perder que él con la partida. A menos que falten fichas para completar la historia.

A Rai le atrae ese misterio. En colegio era fanático del cómic de Martínez, un detective que resolvía casos sin salir de su despacho. Se entrenaba a creer en la vía racional, aunque ya no le tiene tanta fe a esa iglesia. Prefiere las conjeturas delirantes, forzar la realidad para resolver un misterio. Porque no tiene sentido lo de Tania y Huáscar, se le ocurre que sí, en efecto, pudo haber pasado. O quizás todo fue cuestión de conveniencia. El empresario acogotado por las deudas y ella en una relación de abusos o infidelidades decidieron comenzar de nuevo en otro país. Llegados al Brasil ya cada uno vería cómo hacer.

Pasa las horas armando tramas, asignándole un papel a Dunn, a los hijos, a la pareja. Por unos días lo alejan de los *deepfakes.*

Sánchez le pide a Rai que lo acompañe a la mata. Necesita de su fuerza, irá con los guardias a conseguir hojas para el doctor. Rai le pregunta cómo está:

–Más tranquilo, fue una verdadera pérdida de tiempo. Vos sabés cómo son las mujeres.

Rai ha visto a Yesenia a veces cabizbaja y otras de buen humor. Le ha dicho que no ha podido prestarse plata y que por lo pronto se quedará en Villa Rosa.

–Entonces, ¿venís o no?

–Por supuesto que voy, quiero ver animales.

–No creo que los veás –Sánchez se ríe–. Son cada vez menos y se alejan de nosotros, nos tienen miedo. Lo mismo los insectos, se ha perdido harta variedad: hubo un insectocalipsis y nadie se dio cuenta. Creemos que la selva avanza porque se mete en el laboratorio pero en realidad desaparece. ¿No viste cuán polvoriento y gris es el pueblo? La pasada navidad la alcaldesa trajo árboles plásticos importados del Brasil para decorar las avenidas. Antes había unos toborochis imponentes pero los han ido talando.

Los guía Juan Gabriel Muri, un indígena pequeñito, mayor y ágil que vive en el asentamiento ilegal por la carretera, antes de llegar al pueblo. Se adentran en la mata con él. Fuma para espantar a los mosquitos. Es castañero y oficia de chamán en su comunidad. Chamán chantamán, susurra Rai, y Sánchez se molesta:

–El chamán es el equivalente del científico, del laboratorio de física. El cascabel del chamán es un acelerador de partículas.

Juan Gabriel habla rápido y para adentro, su español salpicado de portugués y palabras indígenas. A veces entra a la selva a ayunar y aprender. A los turistas que lo buscan solo les interesan las visiones, no el cambio. Si no ven nada se quejan y piden devolución. A veces vienen tocados de la cabeza, como ese canadiense que mató la semana pasada a una chamana shipiba en el Perú, quería tratamiento todos los días y se negaba a seguir sus instrucciones.

Sánchez les cuenta de su propia relación con la alita. Tenía un grupo de amigos dedicados al San Pedro en La Paz. Uno se fue de mochilero al Brasil. No supieron de él durante años hasta que les mandó las fotos del lugar donde vivía con una coreana, en una comunidad en el Acre. Les decía que había encontrado lo que buscaba y que abandonaran todo y se fueran con él. Sánchez le hizo caso. Vivió allá un tiempo, hasta que un día recibió un mandato de la plantita. Debía ayudar a que se difundiera en territorio boliviano.

–Así llegué a Villa Rosa. No me mata pero no quería irme lejos de mis *irmãos*. El pueblo es el centro de una guerra oscura. No hablo de los narcos y los madereros, eso es poca cosa. Hablo de la lucha entre el alto y el bajo astral. Potencias que se enfrentan y confluyen en Villa Rosa. Chamanes y brujos lanzándose hechizos. El aire cruje en el cruce de esas fuerzas. A ratos quisiera irme a un lugar descansado pero luego pienso que estoy haciendo una labor importante y eso me da paz.

Juan Gabriel habla de una telenovela de la que está enganchado, sobre robots que viven en una urbanización en San Pablo y quieren independizarse de los hombres. Rai trata de distraerse, pero lo cierto es que camina por la mata asustado, con la sensación de que aparecerá el Gigante. No tiene que hacer nada, su simple presencia incorpórea es suficiente para desestabilizarlo. A ratos siente que todo se desrealiza y las plantas que lo rodean son de cartónpiedra. El mundo pierde materialidad por culpa de la alita. A la vez, le permite ver más cosas en la inmensidad.

Olor a bosta de vaca (jumbacá, dice Sánchez). Atacan los mosquitos y de nada sirve el repelente. Click. Libélulas. Click. Una *app* le dice a Rai el tipo específico de libélula. Los monos pasan bailando por las copas de los árboles. Click. Rai saca las fotos en modo RAW: la realidad como es, llena de sombras y sin el brillo de los filtros. Al rato vuelve al modo estándar: la inteligencia artificial de la cámara se ha dado cuenta de la escasez de animales en la selva y llena las fotos de jaguares y serpientes. Su madre estará contenta.

–¿Qué monos son?

–Y qué sé yo, Rai, usá tus *apps*.

Se escuchan gruñidos y Sánchez dice taitetú. El barro les salpica los zapatos. A lo lejos resuena un reguetón. Árboles de troncos delgados y verticales que miden tres metros de diámetro, la corteza manchada de líquenes; el musgo cuelga de las ramas. Rai usa Seek –una *app* para identificar plantas– pero la pobre está inestable, confundida por tanta abundancia. Por entre las copas asoma el celeste desnublado del cielo. Eso no indica nada: puede que una tormenta caiga pronto. Protegidos en la sombra, se deslizan por un túnel húmedo; el olor a humedad se impregna al cuerpo. Los mosquitos atacan; Rai y Sánchez llevan en las muñecas una banda con olor cítrico para ahuyentarlos, pero igual proliferan las ronchas en la cara y los brazos.

Juan Gabriel los conduce a los pies de un castaño, el único de la zona. Un tronco de unos cuarenta metros, coronado por un penacho de ramas. Se persigna: en su comunidad creen que el mundo nació del ayuntamiento del sol con un árbol de castaño.

–Todos venimos de aquí, por eso nos alimentamos de él. A este árbol le quebré tres latas.

No es poco: cada lata carga dieciocho kilos. Hay frutos del castaño en el suelo, son como cocos. Juan Gabriel usa el machete con delicadeza, como si fuera una navaja, para abrir el coco y extraer las nueces. Les invita las nueces que ha sacado de uno. En el proceso de recolección a veces lo ayudan sus hijos. Su mujer utiliza la cáscara del coco para artesanías. Sus hermanos trabajan en el Beni, en enormes barracas –un solo propietario, grandes extensiones de terreno–, pero él prefiere estar aquí. Trabajó un tiempo de guía de castañeros y madereros, lo hizo voluntariamente pero a otros los engancharon y ahora están diseminados por la selva. Hay familias no contactadas en la mata, han preferido quedarse ahí. Dice que no supieron proteger el bosque. Los hombres que vinieron de las ciudades se llevaron todo por delante. Dejaron enfermedades, contaminaron las aguas.

–El jaguar ya no ronda por aquí. La palcachupa está desapareciendo, el tororí también. Las tortugas de nuestros ríos. A veces explotan los truenos y pienso que el cielo caerá sobre nuestras cabezas y será el fin de todo. Ni mi trabajo podrá hacer que el cielo vuelva a su lugar. Volverá a caer como en el principio. Porque la mata alguna vez ya fue el cielo. Ahora es un cielo fantasma.

Rai le pregunta cuántos quedan de su comunidad.

–No más de veinte en Villa Rosa. Ustedes recién se preocupan por el fin. Nosotros vivimos en el fin hace mucho. Somos expertos en el fin. Ay, ecología. Qué risa. Ay ay ay.

Cruzan un puente de tablones inquietos sobre un arroyo. Escuchan el ruido de un motor. Juan Gabriel apunta al cielo: es un dron. Sánchez explica que los narcos y madereros usan drones para evitar que la policía se inmiscuya con ellos.

–Por este camino podemos seguir. Pero si te metés un poco

más adentro ya no respondo. Meses atrás una pareja de turistas apareció muerta por entrar a la selva sin guía.

Desanudan el silencio los trinos de los pájaros, ruidos roncos, silbidos. Croan las ranas. Un guardia mira su celular. ¿Le llegará la señal? Rai ha perdido la suya. Un hormiguero junto a la base talada de un tronco. Sánchez se pone en modo Wikipedia y dice que esas hormigas alimentan a los hongos diseminados entre las raíces de los árboles, pero que también los hongos alimentan a las hormigas y que la bacteria que vive en las hormigas ayuda a los hongos liberando agentes químicos que matan a otras especies invasoras del hongo. Para vivir en la mata no sirve la individualidad. Solo la colonia. Las alianzas. Las relaciones. Eso lo sabe la alita. Por eso la alita no dice nada que se esté inventando. Está transmitiendo el mensaje del bosque. Porque la alita escucha y mira a todas las bacterias, hongos e insectos con los que entra en relación. Rai lo escucha en silencio: ¿terminaré así de fanático en un par de meses?

Rai le pregunta cómo se llama una planta con una flor de color blanco hasta la mitad y luego rosada, los pétalos alargados, como si estuviera con los pelos parados de punta; Seek se ha quedado dando vueltas. No lo sabe.

–Los paisanos de esta zona tampoco saben mucho. Algunos árboles tienen dos o tres nombres, otros ninguno. Lo mismo las flores, los insectos, los pájaros. Un montón de especies desconocidas aparece de la noche a la mañana.

El follaje se espesa y asoma una pendiente inclinada, casi vertical, cubierta de maleza. Se hunden en un hueco por el que asoma el cielo: ese espacio contiene el mundo. Es como un lugar de sacrificios a dioses desconocidos de la selva. El temor deja de ser quieto y se convierte en angustia. No pasa nada, se dice Rai, estamos a plena luz del día.

Al salir del desnivel descubre que la selva ha desaparecido y solo queda la base de los troncos talados. El silencio se esparce como la niebla y toma el paisaje arruinado. Sánchez habla con el guía como si no hubiera ocurrido nada. Rai observa el movimiento de sus labios, pero de ellos no sale ninguna palabra que se pueda escuchar.

Las bases taladas de los árboles se convierten en caras amenazantes, dispuestas a saltar sobre Rai y llevarlo a su territorio perdido. Los troncos respiran como animales del bosque con ojos desorbitados y una sonrisa malévola.

Rai susurra una canción de cuna para consolarlos y consolarse.

La canción hace efecto y los árboles inician su reaparición, sus siluetas fantasmales esforzándose para volver a concretarse. Regresa el ruido de los pájaros y los monos, el desbarajuste de la maleza.

Por un rato, mientras siguen caminando, la selva aparece y desaparece ante sus ojos como si la realidad estuviera sufriendo nuevamente un *glitch.* Luego se estabiliza. Rai piensa en las palabras de Dunn: la realidad es una alucinación.

–¿Estás bien, Rai?

–Un poco cansado nada más. Me duele la cabeza. Mucha humedad.

Juan Gabriel alza la voz. Está hablando de los robots de la telenovela. Rai trata de recuperar la calma.

Llegan a un claro. Juan Gabriel señala un árbol de tallo delgado y leñoso y ramas encrespadas. Hojas en forma de óvalo, terminadas en punta. Rai es capaz de ver el detalle de cada hoja: un rostro indígena a través de los diferentes tonos claros y oscuros del verde. Y esa hoja, ese rostro, al sumarse a las demás hojas y rostros va configurando un enorme rostro indígena.

–Acérquense –susurra el árbol.

Un escalofrío recorre el cuerpo de Rai. Mira a Sánchez y al guía, ¿han escuchado? No hacen ningún gesto.

–Acérquense –vuelve a susurrar.

Se acercan.

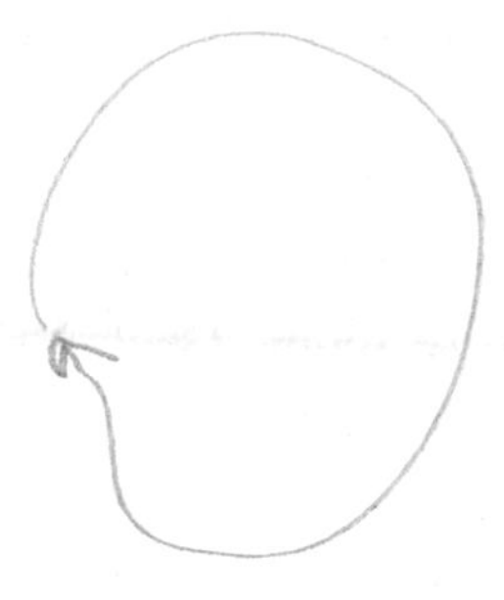

Noche sin luz en el estudio. Sánchez desarma el cableado de la habitación mientras Rai espera en el pasillo matando vampiros en una *app*. Al rato revisa las redes y descubre que han creado un meme del Compañero Presidente viendo el falso video porno de su hija. Sus compañeros se ríen en el *wasap*.

Ingresa a una revista deportiva. Se ve jugando futbol en una cancha auxiliar del estadio. El entrenador dice que le hace recuerdo a Platini, un Platini en cámara lenta. Su padre gesticula junto a la línea de cal, lleva buzo y a veces entra a la cancha a pelearse con los árbitros. No se pierde sus partidos de los sábados. Cuando no está en la casa se relaja y se pone de buen humor. En la final del interbarrios Rai se lleva a un defensor, está solo frente al arquero, dispara con los ojos cerrados y la pelota se va a la calle. Pierden. Su padre lo abraza y trata de animarlo. En el auto de regreso a casa canta su versión particular de "La marsellesa" en un francés chapurreante, *sonelé matilde, sonelé matilde, bim bom bam.* Ríen.

Sánchez lo llama: un hormiguero sobre el espejo del baño, entre el revocado de la pared detrás del tubo fluorescente. Le muestra un pedazo de madera en el que pululan cientos de hormigas. Igual con el foco. Habrá que fumigar.

Sánchez lo lleva a dormir a su estudio; cuando Rai cierra los ojos Sánchez está viendo una película en la tele. Más tarde ronca y apenas lo deja en paz un par de horas en la madrugada.

A Cleyenne la pica una taturana en el pie derecho. Yesenia limpia el área de la picadura, usa cinta adhesiva para eliminar los pelos y las espinas, le pone pasta de bicarbonato de sodio mezclada con agua. Cleyenne quiere rascarse pero Yesenia le pide que no se toque. Deberá ponerse la pasta durante unos días. Si le sigue molestando usará crema de hidrocortisona y por última una vacuna antitetánica. Adolorida, Cleyenne pregunta a los doctores si puede seguir con los experimentos. Rai le dice que esperará hasta que Yesenia se lo autorice.

A Dani, una voluntaria recién llegada de Riberalta, el efecto de la alita le dura más que el resto. Apenas se van la doctora y Yesenia, Rai la descubre en su cubículo, sentada en la cama mirándose las uñas, y ¿se anima, no se anima?

Entra y empieza a filmarla. Cierra la puerta y al ver su rostro sorprendido le dice que quiere captar escenas espontáneas para los archivos del laboratorio. Se sienta a su lado y la abraza.

–Tranquila, Dani, no pasa nada, estás entre amigos.

Hace una pausa.

–Te veo tensa. ¿No te animas a sacarte la blusa? Te puedo dar un buen masaje. Si quieres yo también me saco la polera, así estamos iguales.

Unos golpes en la puerta lo paralizan. ¿Sí?

Le responde una seguidilla de picotazos de Yimi a la madera.

Dani aprovecha para levantarse y salir corriendo del cubículo.

Alvarenga le envía mensajes a Rai. Rai se arrepiente de haberle dado su número. Se saca fotos de su miembro manchado –una isla negra en la piel flácida– y se las hace llegar. Cuando está pegado lo persigue canturreando su nombre, *Raimundo inmundo*, riéndose, lo mismo en las reuniones. Se mete detrás de él al baño, se baja los *shorts* y le pide que se lo chupe (se niega). Antes de que se vaya Rai deja que lo sopapee y Alvarenga lo hace con gusto, la mano abierta para que la fuerza se concentre en la palma y el dolor se expanda. Es guapo y a Rai no le molestaría filmarlo cogiendo con alguien.

Quizás deba volver a insistir con Valeria para que dejen ir a Alvarenga. Tampoco ayuda su estado de ánimo. A veces Alvarenga debe detenerse porque se olvida adónde está yendo. Cree que los árboles del laboratorio son morados o anaranjados. Es una selva mutante, dice.

Se ríe. De verdad, ¿está a cargo de ellos?

Todo se está desvirtuando. Suele ocurrir.

Karina se zambulle en el océano del submundo. Las ondas se expanden por el agua turquesa. El niño con cola de lagarto se acerca al borde y divisa la silueta de su hermana. Karina sale del agua y el niño se le acerca con una toalla. Están en una caverna y puede ver el cielo de nubes plomizas como si el techo fuera transparente. El color verde tiñe los bordes de la imagen. Su padre toca una flauta y sigue una partitura bajo la sombrilla. Las notas caen al suelo y su padre las recoge antes de que el perro se las coma. El niño enrosca su cola y se acerca a la cama. Una venda cubre la cara de su madre. Una enfermera aparece, su voz un zumbido que sale del pecho: felicidades por sus noventa y nueve años, señora. Al niño le dice: su madre es inmortal.

–Acércate, hijo –ordena la mujer con la cara vendada.

–Sí, mamá, dime.

–Apenas puedo respirar –dice ella, pero su voz no sale de su boca–. No sé cuánto me queda. Karina ya está en Miami con su papá. Tu padre se ha ido de la casa. Le di trabajo cuando era un pobre tipo y así me devolvió el favor. Hacía sus cuentitas, chiquito lo suyo. Quise ayudarlo a pensar en grande pero nunca pudo. Un pésimo contador, la cantidad de errores que cometía. Una vez lo vi haciendo números en una servilleta y le pregunté qué hacía y me dijo: contando lo que me falta para jubilarme. ¡A los treinta y cinco! Quería alguien que se comiera el mundo y me tocó este señor

desorejado que se pasaba las horas boxeando y tocando una puta flauta. Nunca fue a las ceremonias del Miss Cochabamba, le dolía la cabeza o el estómago y se encerraba en su escritorio, pero por atrás bien que hacía huevadas. Él tuvo más la culpa pero ella no fue inocente. Una niña obnubilada.

–¿De qué hablas, mamá?

Sale de la ducha, busca una toalla. A lo lejos la sirena de una ambulancia. Pisadas en el estudio. El Gigante revuelve su maleta. Lo acompaña un ruido bajo de electricidad estática. La estática se lleva el tiempo y la historia por delante. Karina, déjame entrar. Hace mucho que ella no sale de su cuarto. Está molesta con todos. Cuando las misses *llegan no las saluda. Doña Leo le trae la comida al espacio que ha creado para ella. El niño no escucha su voz. ¿Jugamos, Nita? ¿Me llevas al cine? Vamos a ver Tarzán. De regreso, en el jardín, la muchacha le dice que se saque la polera y se suba al árbol. Le hace caso. Con sus manos ella hace un gesto de que está rodando: ¡acción! Tírate al pasto. ¿Desde aquí? Sí, apurate. El niño se golpea el hombro. Corte, dice la muchacha. ¿Salió bien?, el niño se frota el hombro. Sí, dice ella y de su boca sale una mariposa verde. Estás contratado, dice su hermana, serás mi estrella.*

Más películas, algunas filmadas en el parque Vial y otras en una casa abandonada. Se caen, se golpean. Lo más audaz: tirarse del segundo piso de la casa abandonada y caer sobre una montaña de arena. Karina lo aplaude, pero apenas vuelven a casa discute a gritos con las misses. *Ensucian el baño, dice, dejan la ropa tirada en todas partes, se meten sin ducharse a la piscina, intoxican la casa con sus perfumes. De grande seré como ella, dice él, juega con sus muñecos, es buena alumna y quiere ser basquetbolista. Le han ofrecido ser guaripolera del colegio, desfilar con botas y mini, y se niega. ¿Y luego qué? ¿Qué te pasa, hermanita? ¿No quieres jugar?*

–No le hagas caso –dice su padre–, es la edad del burro.

Los chicos la buscan pero ella los ignora. Discute con su madre: no quiere ir a la peluquería. Nada de llevar una permanente, nada de gel o Aquanet. Odia esas montañas grandes y despeinadas de sus amigas y de las misses, *su pelo lo quiere corto. Provoca a su madre recortando con tijera un vestido que ella le ha comprado. No quiere pisar las oficinas de Promociones Delia.*

Peces de colores flotan en el baño del estudio, puntos verdes se posan en su cuerpo. Él se toca el brazo y siente el hueso. Detrás del hueso, el plancton. Está hecho de algas doradas. El niño camina con pasos lentos, como si le pesaran las botas, su cola arqueada limpia el suelo. Ingresa a una galería y observa a una mujer frente al espejo. Ella se coloca un broche con la figura de un cisne en su blusa esmeralda. El broche emite destellos verdes, como si reflejara la blusa. Los destellos se refractan en la ventana y tiñen el día de verde. La mujer lleva zapatos de tacón y cabello ondulado. En el salón de eventos de Promociones Delia la peluquera le pregunta si está contenta. Me estás haciendo ver vieja y ya no hay tiempo, que pase la manicurista.

El niño siente que su madre es la persona más elegante del mundo y nadie huele como ella. Fragancias floreadas, jazmines y claveles. Se viste con zapatos de tacón y lo busca a la salida del colegio. Usa gafas negras que esconden sus ojos. Se le ha arrugado el cuello y le han aparecido manchas en la cara. Huele a flores maceradas. Me quiero casar contigo, madre. Desempolva su vestido de novia, oloroso a naftalina, y aparece en su cuarto con una cajita de música que toca la marcha nupcial. Un polvillo flota en el ambiente. El niño en pijamas, su padre se ríe, doña Leo también. El niño fosforece y es de colores. Su padre oficia la ceremonia acariciándose la barba. Entra al cuarto de doña Leo, olor a guardado. Ella no está y el niño enciende la luz. En el espejo un montón de fotos de su madre y de su hermana, descoloridas y pegadas con scotch. *Se escucha la voz de doña Leo, como salida del techo: joven Raimundo solo quiero joven Raimundo solo quiero joven joven.*

Las palabras se repiten sin cesar y debe salir del cuarto para acallarlas.

—¿Dónde estás doña Leo? ¿Te volviste al pueblito del que dijiste que nunca te habías ido? Tengo una foto tuya en la Casa de Campo, te hacíamos comer solita en otra mesa. El mozo nos apuntaba y saliste en la foto por accidente, tus orejas largas y tu sonrisa dulce. India perra, te gritaba mamá cuando rompías algo y luego se extrañaba cuando te ibas de la casa y te rogaba que volvieras.

Su madre reemplaza su foto de matrimonio con su padre en la sala por una en la que lo tiene en brazos. Le muestra la tienda que acaba de abrir. El niño y ella caminan por entre los vestidos por pasillos infinitos. Parado frente al espejo del baño se palpa la cara y se fija en sus pupilas. Los peces flotan a su alrededor. El color verde explota en el corazón de la imagen. Su madre importa vestidos pero su éxito se debe a sus propios diseños, escotados y con cola, para cocteles y matrimonios, que proyectan la imagen de una mujer agresiva y triunfadora: yo inventé las hombreras, pueden ver mis diseños, me adelanté a la moda internacional en unos cinco años, como somos unos pinches no me dieron bola, ¿cuándo aprenderemos a valorar lo nuestro? Soy la nueva encargada del vestuario del Miss Cochabamba. Me han ascendido a subdirectora. Me han nombrado administradora.

Su padre disfruta de que le vaya tan bien, luego no tanto. Barriga, coleta en el pelo, mal humor. Para desahogarse se encierra en el garaje, se venda las manos y practica boxeo con una pera y un saco de arena. Le pide al niño que practique con él y lo golpea como si fuera un rival de su altura. El niño llora pero le gusta hacer feliz a su padre. Su madre está embarazada y se acaban de casar. Karina tiene cuatro años y lleva la cola del vestido. La pedregosa respiración de su madre. La cara vendada, agarra las manos del niño.

—Si me pasa algo te haces cargo. No quiero que esto se pierda. Mi familia era pobre. Tu abuela quería lo mejor para mí y me inscribió en el Miss Chuquisaca. Luego supe que pagó para que lo ganara. Era alcohólica y murió joven. La encontraron tirada en el banco de una plaza. Quiso casarme con un político y lo logró. El susodicho

iba a sus giras por las provincias cuando llegó a ser alcalde, yo sabía con quiénes se metía. Un día hubo rumores de un desfalco. Poco después se fue. Dijo que tenía que arreglar algo en los Estados Unidos. Recibí una carta disparatada que mencionaba que lo habían tratado de secuestrar cuando volvía a casa de una gira y no regresaría a Bolivia. No supe más de él. Nunca me mandó un peso para la manutención de Karina. Tiempo después me vine a Cochabamba. Aquí me tienes. Podrá parecer poca cosa lo que hago pero no. Yo sostengo a esta sociedad. Los concursos son nuestro resumen. Las misses *el reflejo. La belleza interna no existe, es una mentira inventada por algunas para sentirse mejor. Si una* miss *dice que Confucio inventó la confusión y la gente se ríe es porque la mayoría respondería lo mismo. Si otra dice que es mejor aprender inglés que quechua es porque eso piensa incluso el Compañero Presidente. Si las escogemos jorobadas y albinas cuando las jorobadas y albinas son una anomalía es porque ese es nuestro sueño. Hay que cambiar la educación para que podamos querer a las otras, pero yo no lo haré ni me interesa.*

Las palabras se amplifican en las paredes de la caverna. Aparecen las misses, *de piel resplandeciente, como bañadas en laca. El chasquido de un látigo, el lejano put put de una máquina. Trepanan el cerebro del monte.*

Promociones Delia queda en El Prado. El niño va de una oficina a otra. En la de su madre, con una foto bendecida de Juan Pablo II, *diplomas y condecoraciones del Comité Cívico y del Club de Damas Chuquisaqueñas en las paredes, y retratos de ella con una Miss Universo que visitó Cochabamba y las dos Misses Bolivia y cuatro Señoritas Bolivia que consiguió su empresa, una chica velluda con ojos de monito feliz muestra su currículum para hacerse pruebas. Su madre le dice que con quince años no puede trabajar, debes traer otro certificado de nacimiento. Le da la dirección de un abogado.*

En el vestuario dos misses *cambiándose sorprenden al niño.*

–Le avisaré a tu mamá que andas curioseando. ¿Qué es eso de esconderse en el probador? Es el mal ejemplo de tu papá.

Intercambian sostenes y blusas, el niño se queda absorto mirando sus pechos.

Su madre le ofrece un puesto en Promociones Delia. Están en su oficina, necesito alguien de confianza que haga el trabajo de tu papá. Igual ya estás haciendo un montón de cosas. Las paredes ondulan. Amebas suspendidas del techo. El verde impregna la imagen.

Va a recoger la ropa de la modista. A la aduana a buscar vestidos, a la flota a enviar un paquete a La Paz. Arregla deudas. Es el cobrador. En las oficinas de ese abogado por la 4 de noviembre se queda esperando un buen rato en la sala. La secretaria escribe a máquina disfrazada con una careta de Bugs Bunny. Desde la ventana se ve el atardecer cargado de lluvia. El abogado lo hace pasar al fin y le reprocha que es injusto lo que su madre le está cobrando. Quedé con ella doscientos y ahora resulta que es cuatrocientos. La chica no hizo más de lo acordado. Deja un sobre en la mesa.

–Mamá, ¿qué chica?

–Qué te importa, hijo.

Su madre le pide que lleve a Miss Valle Alto a la casa de un empresario. Miss Tiquipaya le dice: no me digas que no sabías nada. La respetan porque tiene poder, pero nadie quiere salir en la foto con mami Delia. Bueno, exagero: los que quieren saben lo que quieren. Acaricia sus manos velludas.

–No todos los detalles –dice él.

–Yo te los puedo dar –dice ella–. Ay, el más cercano siempre el último en enterarse. Quizás entiendas ahora a tu hermana. A tu papá. Por si acaso, no justifico lo que pasó.

–¿Qué pasó? ¿Qué pasó en la casa por las noches?

Rai lee en las noticias del repliegue del gobierno en su deseo de regular las redes. El Compañero Presidente dice que esos ataques le darán fuerza para la próxima campaña: no nos doblegaremos a la derecha. *Página Siete* ha intentado entrevistar a su hija Amparo, una joven recién diplomada en abogacía, pero ella se niega. Un colectivo feminista sale en su defensa y su intervención pública termina con un estribillo pegajoso: *Mi vida no es tu porno*; María Galindo, activista de Mujeres Creando, la ataca por no distanciarse de su padre "machista". Un juez constata que no hay pruebas fehacientes de que los acusados sean responsables del video, pero decide mantenerlos en la cárcel por precaución.

Todo parece volver a la normalidad. Rai decide hacer un nuevo *deepfake* de Valeria y lo sube a 4chan. Usa imágenes de una vez que filmó a la doctora en el patio del laboratorio, el frontis de un edificio a un costado. En el fondo salía la selva y debió buscar videos de sexo al aire libre en los que aparecieran árboles y cielo. Tuvo suerte de encontrar un engarce perfecto con una escena entre chicas ucranianas. Alguien escribe: "so good it seems true". Sube el *deepfake* a YouPorn y BoliviaXXX.

Recostado en la cama ve al coyote hipercinético y al correcaminos fugaz. Un paisaje desértico, lunar. Los distintos matices del ocre en la pantalla. Zumban las aspas del ventilador. Arma en su cabeza otro test para los voluntarios, basado en el Inventario Multifásico de Personalidad de Minnesota. Frases simples a las que solo se debe responder sí o no, verdadero o falso o no lo sé, y que pueden indicar el estado de ánimo del voluntario, sus tendencias depresivas, su condición paranoica:

A veces tengo miedo sin razones particulares
Mi madre era una buena mujer
No me gusta oír a extraños cantando
Tengo miedo de estar volviéndome loco
No me gusta ver a hombres en pijamas
Mi alma a veces abandona mi cuerpo
Mi vida sexual es satisfactoria
Casi siempre me siento culpable al mismo tiempo
que no me siento culpable

En el tablero "beautiful women" de 4chan descubre el hilo "butts" y las instrucciones: "imagine entering to the bedroom and see your girl waiting for some attention layin face down in the bed. No penetration or laying face up in this thread please, any ethnic is wellcome". Sube una foto de Florencia perfecta para la situación, extraída del video que filmó el primer día.

Se va sintiendo mejor.

Golpes en el pasillo. Abre la puerta, el calor le da un manotazo. No hay nadie.

Una columna de hormigas bicéfalas sale de una hendija en la pared. Las observa en trance. Acerca su rostro, distingue sus diminutas patitas de araña, sus enormes cabezas, sus mandíbulas filosas. Se deja llevar por ellas, por su ciega misión. Al rato toda la pared está llena de hormigas. Se despliegan bien formadas, creando círculos y espirales. No sabe si ir en busca de Sánchez, pedir ayuda. Por lo visto no ha logrado deshacerse del hormiguero. O quizás el estudio ha sido tomado y hay más hormigas debajo del piso y en el techo.

Se restriega los ojos. Las hormigas se convierten en manchas de humedad.

Vuelve a la cama, apaga el televisor, intenta dormir. Basta de pruebas. Es el cansancio.

En la oscuridad del estudio, contra la pared del televisor apagado, el coyote persigue al correcaminos. Cierra los ojos y los abre. Las imágenes siguen ahí.

Al día siguiente en el desayuno quiere contarle a Valeria de sus alucinaciones, pero desconfía de ella. Porque si las tiene sin necesidad siquiera de la alita, ¿qué significa eso? No se anima a probar el café que le ofrece. Tampoco toca los jugos alineados en el mostrador, acompañados de moscas veleidosas, ni las tostadas, el queso o el jamón. A partir de ahora comerá solo de las cosas que compre en el mercado. Será más engorroso pero se sentirá más seguro.

Hay algo en el aire. Hay algo en el aire.

Anota en una servilleta: *puede q después de tantos meses de experimentación el aire del laboratorio esté impregnado de alucinógenos vivir en el laboratorio una alucinación un delirio.* O puede que simplemente haya un efecto de acumulación: a medida que se suceden las ingestas cambia la forma en que percibe y siente las cosas. Dunn y sus neurotransmisores dañados. Su seguridad de que la alita no le ha hecho daño a nadie.

Quiere rebelarse pero no es tan fácil. Algo lo succiona hacia el centro de la tierra. Como si sus pies se hubieran transformado en raíces, le cuesta moverse, tomar decisiones, enfrentarse a los doctores.

Le preguntará a Valeria si puede irse a vivir al pueblo, aunque su contrato es explícito: el trabajo es a tiempo completo en el laboratorio, por si hay una emergencia.

¿Y si él es la emergencia? ¿Quién controla lo controlado si el controlador está descontrolado?

Anota: *lo q acabo de escribir no tiene sentido.*

Mañana lluviosa de reunión con los nuevos voluntarios. Alvarenga se marcha hoy gracias a las gestiones de Rai; este le ha pedido que hable con los voluntarios y les cuente su experiencia antes de partir. Están con ellos el doctor Dunn, la ingeniera informática y un ejecutivo recién llegado de Tupí VR. Dicen que la primera etapa de pruebas terminará pronto y a algunos del nuevo grupo se les ofrecerá la posibilidad de probar la encarnación virtual, para que puedan comparar sus propias experiencias con la alita con las que ha estado creando la máquina a partir de la información de los voluntarios.

Rai cree que Tupí VR ha debido refinar su algoritmo de extracción de datos y necesita probarlo con más gente. Entiende la jugada: la compañía cree que uno no es solo lo que es sino lo que quiere ser, los otros yos en potencia que uno es o ha dejado de ser y que se manifiestan en el juego. En el juego uno nunca *es* el doctor Dunn; uno es uno jugando a ser una versión del doctor Dunn lograda de la manera más científica posible. Tupí VR podrá ofrecer a los interesados datos de los jugadores que tomen en cuenta esas otras versiones del yo. Un modelo complejo e inestable del yo, con aplicaciones concretas: uno hace mil cosas basándose en esas fantasías.

Él, Rai, ¿a quién juega cuando hace *deepfakes*?

En las paredes a la entrada del galpón fotos ampliadas en

blanco y negro del árbol de la castaña y sus cosechadores, y de camiones enfangados en caminos de tierra convertidos en pantanos, que decoraban las oficinas de la beneficiadora en la que trabajó Valeria. Rai está a cargo de una batería de pruebas para escoger cinco candidatos para la nueva ronda de experimentos. Les dará el test de apercepción temática. Lo asombra la inocencia de sus rostros, la ingenuidad de sus comentarios. Tiemblan las manos de Alvarenga al ver a Dunn, pero se las ingenia para pronunciar un discurso en el que menciona lo bien que les harán las pruebas y la importancia de su labor, un paso adelante para que todo el país se beneficie de una tradición ancestral. Dice que duerme mejor desde que ha terminado su período de experimentación y que extrañará el laboratorio. Sus palabras batallan con el golpeteo de la lluvia en el techo de calamina, a ratos se pierden.

Antes de continuar con los voluntarios Rai acompaña a Alvarenga a que saque sus cosas; lo espera Sánchez para llevarlo a la terminal de buses. Ingresan a un recinto de camas alineadas una tras otra, la sala de los hombres, el lugar, quizás, donde alguna vez durmieron quienes trabajaban en la beneficiadora, espectros que desfilan ordenados por los pasillos entre las camas y se duchan antes de salir al sol que ciega en el patio.

Las pertenencias de Alvarenga están en un bolsón de lona al lado de la cama. Un dinosaurio de peluche sobre una caja de manzanas que sirve de mesa de noche. Rai le entrega una carpeta con copias de imágenes producidas a partir de información extraída de su cerebro: el rostro del Gigante, una grulla en un manglar, un animal cruza de perro y gato, una mesa poblada de larvas de insectos.

–Gracias por tus palabras, no tenías que haber exagerado tanto.

Lo abraza, sus huesos en la piel de Rai. El abrazo se prolonga y Rai no sabe qué hacer: es un refugio incómodo para él.

–Les debo mucho a ustedes, doctor. El dinero será para mis viejos.

Se separa. Rai extraña el contacto.

–¿Y el Gigante ha vuelto?

–No se va –lo agarra de la mano–. A ratos siento alguien me persigue. Uno de sus capataces, lo ha mandado para buscarme. O él mismo. Me doy la vuelta no hay nadie, se ha escondido detrás de los árboles, detrás de las paredes. Me digo debe ser mi impresión. Pero igual. ¿Qué si no desaparece? ¿Qué si empeora?

–No pasará nada. Mantenme al tanto de cualquier cambio, incluso el más leve.

–Cuídelos –le dice sin soltarle la mano–. ¿Vio la foto de uno de los cosechadores en el galpón, ese sin dientes? El administrador nos contó le cayó un castaño en la mollera mientras cosechaban. Llegó a escuchar el ruido de la caída y puso su machete sobre la cabeza para protegerse. El castaño cayó con tanta fuerza que hundió el acero. El cosechador sobrevivió pero no volvió a ser el mismo. Dicen hablaba chueco, las palabras no paraban de salir de su boca pero nadie le entendía nada. Me da tanta pena. No sé por qué pero me recuerda a mi viejito. Ay dónde estará él. Si estará todavía.

Rai lo abraza y le dice que todo estará bien, es cuestión de paciencia.

–¿Unas palabras de despedida? A mí se me ocurre algo: colla 'e mierda.

–No era nada personal, doctor. Va a disculpar.

Intenta besarlo y Rai no se deja. Se apuran. Alvarenga promete seguir en contacto.

Rai no está seguro de que sea una buena idea pero no le dice nada.

En su celular ha aparecido el anuncio de un lote en venta en Tiquipaya. Rai supone que la red neuronal de Tupí VR ha logrado extraer de su cerebro el nombre de Miss Tiquipaya. Nuevos anuncios de remedios contra la epilepsia: todo tan confuso. ¿Para él o para el doctor o para los dos? Imposible que sea para él, los síntomas serían obvios. El doctor tampoco parece enfermo. ¿Algo más azaroso que no tiene que ver ni con Tupí VR ni con ninguna de las compañías que usan su información privada?

En el celular también le han ofrecido películas clásicas en YouTube, *Tarzán* y *Viaje al centro de la Tierra*. Hay varias versiones de esa película y le han sugerido la de 1959 con James Mason, que vio en la tele una tarde lluviosa de su infancia. Esos detalles habían salido a flote gracias a la alita, pero, ¿cómo pudo haberse trasladado la información de su viaje lisérgico al celular? Tenía que haber sido la máquina, pero no sabía cómo. De lo que está seguro es de que es más potente de lo que creía: como la mano mecánica de una excavadora, ingresa a esos lugares nebulosos del cerebro donde anidan los sueños y moran astillas de recuerdos olvidados, para sacarlos a flote y convencerlo de la urgencia de poseer un objeto, hacer un viaje, votar a un candidato. La máquina es un jugador de ajedrez retroactivo, puede proyectarse muchas jugadas hacia atrás y vende información personal a partir de esa promesa. Rai imagina a Tupí VR expandiéndose desde el videojuego, ofreciendo canales de *streaming*, *apps*, redes sociales y tiendas virtuales que exploten la idea de los múltiples yos en potencia.

Apenas vuelva a Cochabamba buscará un técnico que le enseñe cómo encriptar todos sus correos y sus datos.

Nueva invitación del doctor al galpón. Rai se lo piensa antes de aceptar. Tarda un par de horas y claudica.

–Es la parte más complicada para mí –dice Dunn, al que Rai nuevamente nota ojeroso y con las patas de gallo marcadas. Son días tristes, ha estado recordando a sus hijos. A veces se enfunda el buzo solo para verlos, estar con ellos algunos minutos. También ha probado la alita con la esperanza de que ella los traiga a su lado durante el viaje. No siempre funciona.

–Esa es la diferencia entre la alita y la encarnación virtual: las visiones de la alita son caprichosas, mientras que en la encarnación virtual puedo ver siempre a mis hijos. El problema es que la encarnación virtual te quema el cerebro y es difícil aguantar más de una hora sin que te den náuseas. Estamos en la infancia de esta tecnología. En cambio a veces una visión de la alita puede ser tan potente que se queda para siempre en nuestra realidad. El chamán de una comunidad en la que viví un tiempo era tan experto en esas visiones que hasta podía interactuar con ellas. Veía a jefes indígenas, a su madre muerta, les preguntaba y le respondían.

–Imagino que para eso hay que llegar a un estado de sabiduría y desprendimiento muy altos –dice Rai.

–Por lo pronto yo me contentaría con que las visiones que tengo de mis hijos se queden conmigo para siempre. Eso es lo que estoy buscando pero no depende de mí sino de un poco de suerte. O mala suerte, según algunos.

Rai asiente. Como Raulito, piensa. El loco ese que no paraba de hablar en el mercado.

Divaga mientras se enfunda el buzo. No ha visto dónde prepara la alita. Tampoco sabe nada de la infraestructura tecnológica. Ambas cosas son mágicas: producen resultados, pero no sabe mucho del lenguaje de programación o la técnica ancestral del compuesto. Como casi todos, es analfabeto en los modos del mundo.

Los primeros movimientos son para que sus piernas y brazos se encarnen en el avatar. ¿Quién es?

Una mujer y una niña juegan en un parque. Reconoce a la niña: es Camila. No siente la cercanía de antes. Se sube a un resbalín. Los rayos del sol brillan en su cabellera castaña con una cinta azul en la frente. Se acerca a la mujer. Ella lo toma de la mano y lo besa en la boca. Él se suelta incómodo: pueden vernos.

La piel de la mujer adquiere una textura verdosa y vegetal. La luz resplandece en las ramas que le han aparecido por el cuerpo. No hay patrones caprichosos en las ramas y eso lo ayuda a relajarse.

No puede contenerse y toca la piel de la mujer. Su textura lo contagia, va convirtiéndose en una planta rugosa, llena de liquen, por la que discurren hormigas y arañas. Las dos plantas se entremezclan. Camila se les acerca. Dice algo pero no la escucha.

El suelo se raja a sus pies y él duda, por la forma en que se imprime en su cerebro la encarnación virtual, si lo que ve es parte del juego.

Una oruga gigante y gelatinosa se arrastra cerca de él. El buzo está lleno de una sustancia viscosa. Los segundos se hacen elásticos. Quiere salir y golpea el casco.

El juego se termina. Las luces se apagan. El doctor Dunn se acerca y le quita las gafas. Está temblando.

–¿Era... era él?

–¿Estás bien? Comenzaste a gritar como loco.

–Creí que era el juego. Creí que. Es que ellos sí. ¿Ellos qué?

–Tranquilo, ya pasó. Ya no están ni la alita ni la máquina.

–Fuiste el maderero. Fui el maderero.

–Pero no por mucho tiempo. Me falta información sobre él, hay que tratar de representarlo de otra forma.

–Y luego fui... ¿una planta? ¿La alita?

El doctor le alcanza un vaso de agua y espera que se recupere.

–Quiero ser imparcial –dice–. Entender qué pasó con ella. Qué la atrajo. Por qué se fue. De eso iba lo que te mostré. No quiero que él sea él. A eso no podré llegar. Hay que buscar otros caminos. Estoy tratando de escuchar a la planta, y a veces habla con frases herméticas. Imágenes que son adivinanzas.

A Rai le duele la cabeza. Quiere regresar al estudio, echarse. El poder multiplicado de los delirios lo ha abrumado.

–A mí también me habla –dice al fin–. Y lo que me dice no es muy agradable.

–Lo sé. La mirada de la planta es importante pero la voz lo es más.

¿Debería contarle cosas? ¿Del Gigante? ¿De don Nataniel y los suizos? ¿De Karina? ¿De sus incursiones con las voluntarias? ¿Del fundido a negro, el sonido a destiempo, las voces que no salen de las bocas, las imágenes superpuestas?

–Algún día la máquina nos permitirá experimentar cómo sienten las plantas –dice el doctor–. Falta. Por algún lado hay que comenzar.

Al salir del galpón Rai piensa que Dunn lo presenta todo como natural pero quizás es el que más delira. Luego se pregunta qué esconde ese delirio.

Sánchez le pide a Rai que lo acompañe al barrio de Juan Gabriel Muri. Pasará a buscar a su madre para llevarla al banco a cobrar su renta. Rai está indispuesto y ansioso, no ha dormido bien, perseguido por imágenes violentas, pero no le puede decir no. Sabe que Sánchez ha seguido intentando con Yesenia pero que ella ni siquiera le dirige la palabra. Eso lo tiene de mal humor.

El barrio es el asentamiento ilegal a las afueras de Villa Rosa. Sánchez le cuenta que los primeros paisanos que llegaron invadieron el descampado que pertenecía a una fábrica de cerámicas. Intentaron sacarlos, pero fueron llegando otros y construyeron sus viviendas de barro.

–Viven aislados. A algunos los hemos tenido de voluntarios pero la gente no les quiere dar trabajo. Dice que roban y son unos indios sucios. Yo trato de ayudarlos en lo que puedo.

Un grupo toma cerveza junto a un algarrobo. Los saludan a gritos, preguntan si han traído condones. Sánchez sonríe: no deberían estar tomando tan temprano. Queremos condones, chillan a voz en cuello. La próxima, dice Sánchez, y les presenta a Rai. Le preguntan qué les ha traído. Sánchez abre una bolsa: galletas, fideos, latas de durazno al jugo. No les impresiona. Sánchez les entrega colchas, eso sí les gusta.

Discuten de porno entre risas. Recomiendan un sitio que

actualiza seguido; Sánchez les dice que el porno gringo de plomeros y tetonas no le llama la atención.

–Tienen que ver el japonés. Busquen porno tentacular y hablamos –lo miran asqueados–. Muy gelatinoso, no deja orificio libre.

–Prefiero el con máquinas –dice Rai–. Sillas Sybian, vibradores, *sexbots*, y los que se pueden armar gracias a la tecnología, como los *deepfakes*.

–He leído de los *deepfakes* –dice Sánchez–, no sé si me excitarían.

–¿Quién dice que son para excitarse? –pregunta Rai.

–Algún rato me lo tendrás que explicar con calma.

Unos chicos aspiran clefa cerca de una Brasilia comida por la herrumbre junto a la carretera. Se los nota aturdidos, algunos caminan como borrachos. ¿De qué calidad serán sus alucinaciones? Un gordito pregunta si le pueden dar trabajo. Sánchez le dice que se presente al laboratorio. Le menciona a Rai que no es fácil que se queden pero igual quiere seguir intentando. Sánchez les sugiere a tres más que se presenten temprano al día siguiente. El gordito le pide que le prometa que no le harán daño:

–He escuchado cosas feas del laboratorio pero confío en usted.

–Menos mal –se molesta Sánchez–. Qué mala leche en este pueblo.

–Aquí encontramos a Alvarenga –le comenta a Rai–. Los de su comunidad son pocos y a veces se juntan con paisanos de otras comunidades.

La realidad de Rai pierde color de golpe. Sánchez y el grupo aparecen en blanco y negro. Un ruido de estática lo ensordece. Se da un sopapo en una mejilla, como tratando de despertarse. Fundido a negro. Está ciego. Escucha un susurro: *querido Raimundo soy un hombre de negocios y necesito su asistencia vivo en la república de Bolivia y soy asesor del rey del caucho don Nataniel*

Roca me han dado veinte millones de libras para comprar armas y enfrentarnos a los invasores debido a la incertidumbre política necesitamos un hombre de confianza en el exterior que nos ayude aunque no nos conocemos creemos que usted es el hombre indicado indicado indicado cado cado do do do.

Vuelven la imagen y los colores. Desaparece el susurro. Lo ganan las arcadas y le pide a Sánchez que lo espere. Corre detrás de un árbol y se vacía.

–¿Necesitas ayuda?

–Con un Bacterol me pondré mejor.

Rai prefiere no decirle nada. Ya no sabe en quién confiar.

Se despiden del grupo y caminan por un pasillo entre las viviendas. Rai trata de recuperar la compostura. Un perro le lame los zapatos. Tres chicos juegan con una pelota. Una niña con un vestido verde salta la cuerda. Deslumbra su agilidad, el golpeteo rítmico de la cuerda en el suelo, el chasquido de látigo, y también marea.

–Siete por tres –dice Sánchez al pasar a su lado.

–Veintiuno –responde la niña sin perder la concentración.

–Ocho por nueve.

–Setenta y dos.

–Doce por doce.

–Ciento treinta y seis.

–Es mi esperanza –dice Sánchez mientras le aplauden–. Su madre nos contó que la maestra de la chica la llamó para reñirla porque estaba adelantada con la tabla de multiplicar. Tiene que estar al nivel de los demás, dijo.

Llegan a una casa con puerta de calamina. Los recibe Juan Gabriel: pensaba que no llegarían. Sánchez se disculpa, le pregunta si su madre está lista. La anciana aparece en la puerta con un bastón. Le cuesta caminar. Rai sigue mareado y pide un vaso de agua. Juan Gabriel no les permite entrar a la casa; él entra y sale rápidamente.

Se están despidiendo de Juan Gabriel cuando escuchan una voz de mujer que sale de la casa. Un resplandor se escapa por la puerta entreabierta. Luces azules y amarillas que chisporrotean. Una lámpara, quizás, un fuego. El olor a cebolla se cuela por las rendijas de la ventana. Un anafre encendido.

–Si venís mejor te quedás –dice la voz de mujer, el tono alto y firme–. Y si no mejor también. Estoy cansada de tus trucos. Me voy a echar contra ese cupesí. Cansada. ¿Me oís? No pongás esa cara. Así nomás no te ayudaré a cruzar el río. Si te ahogás no llorés luego que fue mi culpa. Tené cuidado, el caballo no es mansito. Es hermoso mi caballito. Era de la propiedad de al lado y se escapó para venir a tomar agua del riachuelo al lado de mi casa. El dueño nunca lo vino a buscar. Papá me decía que no lo tocara porque le salía espuma de la boca. Pero lo toco y no pasa nada. ¿Ves?

Juan Gabriel cierra la puerta. Caminan rumbo al auto, la anciana apoyada en el hombro de Rai. Sánchez dice que esa voz que escucharon es de la esposa de Juan Gabriel.

–Juan Gabriel no quiere que salga de la casa.

–¿Ni para ir al doctor?

–No solo eso. Le dije que le podía traer un doctor pero también se niega a eso. Un desorden todo.

Sánchez hace una mueca. Una mariposa ingresa al auto.

Alguien ha construido un pozo en el patio y este se ha llenado de túneles al centro de la Tierra.

En los árboles han reaparecido los indios colgados. Se sacuden como frutos maduros.

La piel de Karina salpicada de líquenes, su textura rugosa.

Una noche Rai busca las entrevistas a Dunn en YouTube. Encuentra la que dio a un canal en el patio de su casa en Cochabamba, junto a un pozo. El que dijo primero que Tania se había fugado con sus hijos al Brasil fue Dunn. Una vez que él metió la idea otros la adoptaron: los policías bolivianos dijeron haberla visto cruzando la frontera (los brasileños no la vieron).

Quizás Tania, el empresario maderero y los niños nunca se fueron de Bolivia. En realidad nunca salieron de Cochabamba. Algo les ocurrió, y sus cuerpos fueron tirados por el pozo en el centro del patio de la casa de Dunn.

Disfruta de la teoría durante unos días. Para que sea verdad se requiere que un hombre haya matado a cuatro personas a sangre fría, entre ellas su esposa y sus hijos.

Dunn deambula melancólico por el patio y Rai cree que debe descartarla. No debe dejarse llevar por la alita. Porque se trata de ella: ensancha tanto el mundo de lo posible que de pronto todo parece capaz de hacerse realidad.

Rai visita a Valeria en su cabaña desordenada: ropa en el suelo, pilas de platos sin lavar, desparramo de cereales sobre la mesa. Del celular escapa la voz ronca de una cantante en portugués. Latas de Paceña se alinean sobre la mesa. La cadena del baño no larga, Rai usa un balde de agua preparado bajo el lavamanos.

Rai no ha vuelto a intentar nada con ella y Valeria lo prefiere así. Quisiera hablarle de sus últimas visiones pero está distraída y no lo escucha. Ella le cuenta que el teniente no se cansaba de hablar de las virtudes de una comunidad que solía visitar a media hora del pueblo. Se reunían los sábados por la tarde para hacer ceremonias con la alita y la invitó. Ese día se quedó en casa y no pensaba ir. Un impulso la hizo agarrar su moto y partir a la hora en que la reunión comenzaba.

–Esa primera vez me distraje mucho con las visiones. Creía que eran el objetivo de la ingesta. Salía al jardín y me quedaba viendo cosas. Me tenían que ir a buscar, explicarme que el trabajo era espiritual y no debía dejarme distraer por las visiones. Cosa que no es nada fácil, cara. Tanto esfuerzo esa noche me agotó. Me sentaba a descansar o me echaba en un colchón a un costado de la *casinha* donde hicimos la ceremonia. Me quedaba mirando en el jardín y veía a mis hermanos en el patio de la casa donde crecí. A mis hijos buscándome en el departamento en el que viven con su padre, no me encontraban y él les decía que me buscaran allá afuera. Semanas durísimas en las que procesé las culpas de mi divorcio.

Se queda callada recordando esa primera vez, un hilillo de cerveza resbala por los labios. En la pared un cuadro horrible que los vendedores de artesanías venden a los turistas: una mujer con un tipoy rojo a la orilla del río, a su lado un bufeo sonriente. Se levanta en busca de una lata y le pregunta si quiere otra, se le ha debido calentar. Está bien así. Enciende un ventilador de techo de montura tambaleante; las aspas giran lentas, sus sombras se derraman en el suelo, cortan a Valeria mientras regresa parsimoniosa al sofá.

Hablan del doctor, Rai le pregunta qué cree de la desaparición de sus hijos. Si piensa que están vivos.

–No creo que estén lejos. La policía le siguió la pista a la mujer... Persiguieron a Tania hasta Rio Vermelho y se diluyó la cosa. No es fácil, Brasil es tan grande. Pero soy de las que piensan que el mejor lugar para esconder algo es a la vista de todos. Puede que Tania esté en este mismo pueblo. A veces me pregunto si el doctor vino aquí por el ala o por la cercanía a Rio Vermelho. Quizás el ala le dijo algo. No me hagás caso. En todo caso creo que los chicos están vivos y el día menos pensado volverán al lado del doctor.

–¿Y si quizás nunca salieron de Cochabamba?

–¿Qué insinúas?

–Es que... No, nada. ¿Has vuelto a probar la encarnación virtual?

–El doctor quiso pero le dije que no. Me hace dar náuseas.

–La otra vez me produjo un cortocircuito. Estaba metido ahí y tuve una visión del ala. Como si la plantita quisiera mostrarle a la máquina que es superior a ella.

–Gana la planta por ahora pero con el tiempo la máquina aprenderá a hacerlo mejor.

–No estoy seguro, la alita es muy fuerte. Y lo que falta experimentar con las plantitas. A mí eso no me parece mal.

–Nunca dije que estuviera mal, cara. Por eso estoy aquí. Lo entiendo perfectamente. Ahora, ¿tratar de sacarles su alma para que otros las disfruten en un juego? Esa parte me conflictúa más.

–No creo que las plantas tengan alma, Valeria.

–Que las hayamos visto así ha hecho que convirtamos toda forma de vegetación en materia prima para la alimentación o el combustible, Rai. Lo que acabás de decir es responsable de la deforestación de los bosques.

–O sea que yo soy el malo.

–Un cómplice más. Lo único que digo es que no hay que reducir a la planta a materialidad pura. Es lo que te enseña la alita.

–¿Y entonces a qué hay que reducirla?

–Hay un alma vegetal. Un alma que busca la luz y la oscuridad al mismo tiempo.

–Cualquiera. Eso suena muy *new age*.

–La plantita se mueve por una intencionalidad no consciente, que se enciende al contacto con otras sustancias, y que nos enciende el espíritu. Un alma que, a diferencia de nosotros, no tiene una relación propietaria con lo que la rodea.

–¿Las plantas tienen alma?

–No, me expresé mal. En ellas no hay separación entre cuerpo y alma.

–¿La alita es cuerpo y alma?

–Es una planta-alma. ¿Te hacés la burla? Se alimenta de todo lo que la rodea no para ella misma, porque no tiene un yo autónomo, sino para darle poder a los demás, sean otras plantas o minerales o nosotros mismos.

–Un yo autónomo... Esto se ha puesto muy dramático. Ni siquiera estoy seguro de que nosotros tengamos un yo. ¿No has escuchado a Dunn?

–Asimilar al otro es para ella salirse de sí misma. Una virtud de la que podríamos aprender mucho.

–Intencionalidad no consciente, relación no propietaria... ¿De donde sacas esas cosas?

–Tenés que quedarte a vivir unos meses en la comunidad, Rai. Apenas termine tu trabajo aquí.

–Seguro que sí –dice él y se ríe, tentado de volverla a filmar: ha descubierto que es su mejor modelo.

La doctora camina sin rumbo por el patio. Habla con Yesenia bajo la luz anaranjada de un poste, polillas en torno a la lámpara. Rai orina en el baño del estudio, sin luz y con el agua corriendo (nunca arreglaron lo del agua a pesar de sus pedidos). Vuelve a la cama y revisa los mensajes de sus compañeros de la promo: porno y cadenas de oración. Uno de ellos vuelve a preguntarle si él fue el responsable del video de la hija del presi.

No creo q lo hayan hecho esos cambas muy changos para esto

Te sorprenderías de lo q saben los changos de este tema. En todo caso NO

En Instagram le ofrecen el diccionario de Covarrubias. Lo hojea en una *app*. Se ríe con algunas definiciones: mosquito es una "mosca pequeña... que con ser una cosa tan pequeñita desasosiegue a un hombre con su ruido y su puntura"; mariposa "es un animalito que se cuenta entre los gusanitos alados, el más imbécil de todos los que puede haber. Este tiene inclinación a entrarse por la luz de la candela, porfiando una vez y otra, hasta que finalmente se quema"; rincón: "la etimología de rincón está tan arrinconada que hasta ahora yo no la he hallado".

Después de un rato se arma de valor y sale del estudio.

Espera que la doctora y Yesenia desaparezcan del patio para cruzarlo y llegar al galpón donde duermen los voluntarios. Un rayo ilumina el cielo. Pronto caerá la lluvia, y él se pierde observando una nube movediza parecida a un puño. A lo lejos el chillido de un animal, quizás un mono o un taitetú.

Ingresa al galpón, cruza por el recinto donde duermen los hombres, revisa las puertas de los cuartos de las mujeres. Encuentra una entreabierta, pero la voluntaria que duerme ahí está bien tapada y prefiere no arriesgarse. Sigue con la revisión.

Al final del pasillo está el cuarto de Cleyenne, que ha vuelto a ser parte de las pruebas después de su picadura. Rai abre la puerta procurando no hacer ruido. Duerme de lado, enroscada entre las sábanas. Se le acerca y le aparta la blusa, exponiendo uno de sus pechos. Saca su celular, busca la cámara.

Se detiene. ¿Qué hace ahí?

Todo es tan difícil.

Cleyenne abre los ojos y lo observa. Se queda paralizado, esperando un movimiento suyo, un grito. Ella también se queda quieta.

No soy de esos, quiere decirle, pero, ¿de cuáles es?

Da unos pasos hacia atrás, sale del cuarto. Pronto se escucharán los gritos.

Nada. Silencio. Logra escapar del galpón, regresa al estudio. Tarda en tranquilizarse.

Quizás pensó que era un sueño vívido, un delirio de la alita. Los dos en su viaje.

Ingresa a 4chan. Ve sin ver. Lee sin leer.

Valeria quiere hablar con Rai. Él busca una explicación adecuada para su ingreso al galpón: se confundió de edificio, estaba todo oscuro. Ella lo escucha sin decir una palabra.

–Sé por qué se fue la tarijeña –dice al fin–. Me lo contó todo. Son dos ya. Cleyenne también me contó de tus avances. Tendré que informar de esto.

Él le ruega que no diga nada. Acepta que con Florencia no obró correctamente pero que tampoco era como lo pintaba ella. Solo quería filmarla para tener un recuerdo, y sí, es cierto, no estaban en el mismo plano –ella bajo los efectos de la alita– y no era justo pedirle nada en esas condiciones. Niega haber hecho algo malo con Cleyenne, insiste en que fue una simple equivocación.

No sabe si le cree. Valeria no dirá nada al doctor por esta vez, pero le informa que un incidente más complicará su situación. Luego de esa conversación se mostrará distante.

Los siguientes días Rai no abrirá su *laptop*, no ofrecerá masajes a nadie, cuidará sus palabras, no se acercará a los voluntarios. Cree que se puede.

Miss Tiquipaya lo lleva de la mano por las galerías construidas por las hormigas bajo el patio. Avanzan agachados, un polvillo se mete por la boca y la nariz y les hace toser. En las paredes de los túneles hay rocas y piedras brillosas. Los cables del sistema de iluminación se mecen sobre sus cabezas. A ratos todo se apaga y lo oscuro los devora. El ruido de las pisadas rebota en las paredes, se desplaza por el túnel y regresa a golpearles la cabeza.

Miss Tiquipaya lleva una máscara de mono, usada para un cosplay *de Zora en* El planeta de los simios *con el que fue finalista en un concurso.*

–Han ocurrido cosas fuertes –dice–. Tu padre tiene mucho que ver con esta historia.

–¿Qué sabes tú?

–Todo.

Él se aferra a una cuerda, deslizarse por el túnel es deslizarse por el tiempo. Tose, ardor en la garganta. Busca un vaso de agua en la cocina del estudio. Lo llaman, pero no tiene ganas de ir. Sisi duerme y el cielo se derrumba. Siguen avanzando.

–¿Has preguntado por qué tu hermana se fue a Miami de la noche a la mañana? –dice Miss Tiquipaya–. ¿Qué hizo tu padre? ¿Qué vio tu madre? ¿Por qué ocurrió lo que ocurrió? Conmigo él quiso meterse una vez, estábamos charlando, yo en malla de baño, y de pronto puso su mano en mi entrepierna. Quise darle uno bueno

pero me aguanté. Apocado pero se daba modos. Solía ingresar al vestuario con una cámara cuando nos estábamos cambiando, decía que tu mamá lo mandaba para documentar la historia de Promociones Delia. Algunas cayeron y posaron desnudas para él, les prometía cosas, viajes a concursos, la seguridad de que serían finalistas, está todo arreglado, decía. Nos tocaba con cualquier excusa, los cachetes, el culo. Nos besaba en la boca al saludarnos, metía su lengua si tu mamá no estaba cerca. Tratábamos de reírnos y no decir nada, pelearnos con él era entrar a la lista negra de doña Delia. Nos hablaba de la fiesta del fin de semana, del dinero que podíamos conseguir, creíamos que lo mandaba tu madre. La hormiga reina.

Él le pide que se calle.

–A mí me pegaba –dice él–. Tenía un saco de boxeo y una pera para entrenarse en el garaje y sin aviso, me portara mal o no hiciera nada, me llevaba allá con el pretexto de entrenarme y me golpeaba duro. Mamá se espantaba al ver mi cara y papá le decía que me había golpeado yo solito entrenando. Hacía chistes para minimizar la situación, era bueno contándolos.

Miss Tiquipaya se saca la máscara de mono y aparece otra máscara de mono. El túnel se estrecha. Se van achicando. Son enanos. Les han aparecido alas y cuatro patas. Es el hombre hormiga. Miss Tiquipaya es cabezona.

–Tu padre. Esa noche él tocó el tema. Nunca debí asistir. Era tentador. No pensé que ocurriría nada. Las chicas contaban cosas terribles. La mayoría no hacía nada, ganaba su concursito y volvía al anonimato; las más ambiciosas se iban a Santa Cruz. Estaban las que se convertían en parte del cogollo de tu madre. Miss Feria Exposición quedó traumada pero hizo buen dinero. La señorita Cadáver sigue haciendo carrera. Pensar que tú fuiste quien me trajo el dinero esa vez. No te debí haber recibido el sobre.

Ingresan a un recinto de paredes húmedas y goteras. Alguien con el rostro vendado en una cama. La bata de esa tarde después de que su hermana se fuera a Miami. El color verde repta por las paredes. Todo el ambiente se ha impregnado de ese color.

La anciana quiere hablar desde la cama. Su cuerpo conectado a unos tubos. Se levanta apenas. Él quiere verle la cara, sacarle las vendas. Le pide que se acerque. Caminan por un pasillo, ella le ofrece mostrarle su colección de muñecas japonesas. Androides que encarga a hackers paraguayos en el gran Buenos Aires. Construyen réplicas de las chicas a las que les ha ido bien en un concurso. Apenas ganó Miss Tiquipaya ella la envió a Buenos Aires a que los paraguayos le hicieran una réplica. Su androide es capaz de pronunciar treinta frases y gracias a sensores en sus ojos sigue tus movimientos y capta tu estado de ánimo.

–Hola, me llamo Miss Tiquipaya –dice el androide.

Sonríe, agita la mano como saludando al público, hace una venia como si estuviera delante del jurado. Se saca la máscara de mono y aparece otra máscara de mono.

–Nací en el Chapare –continúa–, soy hija de un industrial bananero con propiedades cerca del Ichilo. Los periodistas me llaman Pocahontas y también Avatar. Viví en una casa de adobe hasta los nueve, cuando mamá volvió a la ciudad y me fui a vivir con papá. Cuando mamá volvió. Cuando yo me fui. Mamá. Vivir. Papá.

La anciana no puede decirle qué le pasa a la androide. Su rostro ha colapsado. Demasiados liftings. Un maniquí viviente. Su frente no se mueve, no muestra arrugas. Un esperpento. Un espantapájaros. Una adicta al bisturí. Quería que sus chicas se hicieran adictas. Las estimulaba a operarse. Les daba préstamos a intereses bajos. Todo a medida del cliente.

–Mamá, ¿qué pasó en la casa aquella noche? ¿Qué pasó con papá y mi hermana?

Ella hace gestos de que quiere regresar a la cama. Hace que se apoye en su brazo, la recuesta con cuidado.

–Una frase: quería lo mejor para ellas. Otra: fui como una madre *para ellas y me olvidaron. Otra: les abrí el mundo. Otra: el tiempo es injusto con nosotros.*

–¿Y yo, mamá?

–Nadie es inocente, hijo.

La respiración acompasada.

–Era un niño, mamá.

–No hay excusas.

–Volveré y no te hablaré más.

–Soy como soy por tu culpa.

–Idioteces, hijo, uno se hace su propio destino. Ni tu papá ni tu mamá: tú solito nomás.

–¿Qué pasó con Miss Tiquipaya?

–No tenías que salir con ella, hijo, ser un buen samaritano. Tan fea con esos cachetes estirados, y sus mechas, indiaca nomás, de padres chapareños. Debías haberle dejado el dinero y punto. Ese dinero que no aprobé. ¿Para qué escucharla? ¿Para qué creerle? ¿Creías que era inocente?

El color que ha invadido el recinto adquiere un tono verde oscuro. Miss Tiquipaya toma mucho, siempre apurada. Le gustan los shots *de tequila, a veces no son ni las doce y ya está borracha, dice que por sus traumas, qué sabes tú de lo que me pasó, eso nunca se olvida, ya te quisiera ver a ti, estarías temblando de por vida.*

–¿Por qué tardaste tanto en hacerlo público?

–Todo tiene su tiempo y a veces es rápido y otras no. Creí que lo superaría pero no pude. No sé si he hecho bien. Este pueblo no está preparado. Hablan mal de mí, me miran en la calle. Voy a terminar yéndome a La Paz o Santa Cruz. Al final parece que fue mi culpa.

Miss Tiquipaya es adepta a las cartas de astrólogos y un día lo lleva al departamento que alquila por la América y le dice que según la conjunción de los planetas no debió haber conocido nunca a su madre. Doña Delia pertenece a otra realidad, dice. Viene del bajo astral y más te vale escaparte de ella. Esta vez le habla sobria. Se pierde tres, cuatro días, y él no sabe qué pasa. Mucho trabajo con mis clases, dice, prefiero no contestar el teléfono. Llegan a cumplir un año de escondidas. Él quiere hacerlo público pero ella prefiere esperar. Piensa en casarse con ella. Van de vacaciones a un hotel en el Chapare. Están viendo una porno, distraídos, cuando aparece un actor musculoso y ella dice que su pito chueco le recuerda al de un político conocido. ¿De qué habla? Ella tiene una lata de cuba libre en la mano. Menciona el nombre del político. Él se levanta. Sale de la habitación y ella le tira la lata y estalla contra la pared. Él se va junto a la piscina, trata de calmarse. A la hora regresa y ella no está. La busca por el hotel y no la encuentra. En recepción una mujer le dice que no la han visto.

Regresa a la ciudad y va una noche al salón de eventos de Promociones Delia, el cuidador es un mono con uniforme de militar que lo deja pasar a la oficina. Allí lo espera su madre y la voz retumba:

–Bueno, Pedrito se portó mal, ella dijo basta, es cierto, pero tanto lío con que era una santa… Porque tendrás que saber que no fue la primera vez. Que yo recuerde hubo dos, tres, hasta cuatro desde que entró a Promociones Delia..

–Apúrate –Miss Tiquipaya se saca la máscara de mono y aparece otra máscara de mono–. Hago lo que quiero y no hago lo que no quiero hacer. ¿Tan difícil es de entender? Lo demás es secundario.

Él le pide que descansen, le está costando respirar. No hay mucho aire en la caverna y el polvillo verde ingresa a sus pulmones. Deben regresar.

El rostro vendado de su madre. No ve sus ojos. Quiere ver sus ojos.

Aimara, una voluntaria nueva –pechos planos, pelo rapado, quijada que proyecta firmeza–, viene recomendada de Cochabamba porque en el Centro de Instrucción de Tropas era la más audaz a la hora de saltar en paracaídas. Dejó el CITE y recaló en Santa Cruz, donde estuvo un tiempo en la iglesia de la Cienciología. Hablan del vértigo que sentía al abrirse la puerta del avión y era ella contra el viento golpeándole el rostro, la inmensidad celeste, la tierra que la espera y se le acerca rauda apenas salta.

–Pocas personas me asombran más que las capaces de hacer cosas para las que soy negado –dice Rai–. Los pilotos de avión, los dentistas, los paracaidistas. Qué cosa más rara y maravillosa, la vida, tanta variedad, tanta diversidad. Pensar que mientras duermo hay gente que por voluntad propia decide tirarse al vacío.

Aimara dice que a ella la sorprenden los doctores, por ejemplo uno que iba todos los días a la casa de su abuela enferma.

–Yo jugaba con las gallinas. Mi abuela tenía un montón en su patio, me pedía que fuera a revisar si estaban listas para poner, sabe que solo hay una forma de hacerlo y es meterles el dedo al culo. Me asomaba por la ventana y veía al doctor metiendo la cabeza en el mal aliento de mi abuela, auscultando entre sus pechos caídos. A veces tenía hemorragias y a él no se le movía un pelo.

Hablan de sus miedos. Extraña a su novio pero sabe cómo son las relaciones a la distancia. Lo conoció en la plaza principal de Santa Cruz, él organizaba una campaña de abrazos gratis y la convenció de probar. Transmite energía, decía. Poco tiempo después vivían juntos. Gracias a él supo de la Cienciología, pero no pudo aguantar las reglas estrictas de la iglesia ni sus ambiciones platistas. Se regresó a Cochabamba. Él la quiere convencer de retornar a la iglesia, ella le ha dicho la iglesia o yo.

De niña dormía con la luz encendida porque estaba segura de que había fantasmas en la casa: las puertas se abrían por su cuenta, la ducha se encendía sola. Veía el perfil de la Virgen María en las marraquetas, el de Jesús en las ventanas empañadas de su casa durante los días de lluvia. A veces, echada en cama, era capaz de percibir la rapidez con que giraba el planeta. Entró al ejército porque no le gustaba vivir sola y se sentía más protegida durmiendo en un pabellón junto a veinte compañeras, y a la Cienciología por lo mismo: el deseo de formar comunidad.

–Te advierto que el experimento te puede hacer sentir muy sola.

–No creo que nada supere la soledad de lanzarse en paracaídas.

–¿Tomas algún medicamento? Es para ver las contraindicaciones.

–Un tiempo me enganché al clona. Me lo recetó un doctor porque no podía dormir.

–A mi madre le pasó lo mismo –se inventa Rai para ganarse su confianza–. Un día fue a la farmacia y el encargado le dijo que no había y le recetó otra cosa como si nada. Tuvo visiones, por las noches creía que el cobertor de alpaca de su cama estaba vivo. Se la pasaba angustiada hasta que su médico se dio cuenta de lo que ocurría. Hizo que volviera a engancharse al clona y le disminuyó la dosis aunque nunca la sacó del todo. ¿Tú cómo saliste?

–Bajando de a poco y pasándome al Valium por unos meses. Si me da insomnio ahora me hago un tecito de camomila. Las cosas naturales son lo mejor.

Rai le hace un test de asociación bajado a la rápida de internet: le pide que a cada palabra que pronuncie diga la primera que se le ocurra: ventana (indiscreta), montaña (violenta), triste (mundo), rana (negra), novia (escarlata). Con dudas, la aprueba.

Administra el experimento después de una noche insomne. Llueve y los truenos ruedan por el cielo. En las ventanas de la sala se apoya el día cenizo, iluminado a ratos por los rayos. Las nubes esconden el horizonte y avanzan quebrándose en filamentos chiclosos. Yimi da de cabezazos parado sobre una pata en la jaula; no para de temblar. Los monos aúllan en la mata: una barahúnda de chillidos y agitar de ramas permite imaginar una disputa, pero puede que estén jugando.

La doctora Cosulich les da una dosis de primer grado a Aimara y a los otros. Cleyenne no para de hablar de las cosas que le han ocurrido en el futuro. Rai y Yesenia acompañan a los voluntarios a sus cubículos; Rai acomoda la gorra de sesenta y cuatro canales en la cabeza de Aimara y le promete un viaje amable.

Rai le comenta a Valeria que no cree que el viaje sirva de mucho, los resultados han sido hasta ahora constantes. Ella le dice que pronto comenzarán a probar alita con otro compuesto. Le dice que cuide a Aimara: es una de las escogidas por el doctor para probar la máquina. Rai piensa que para entonces estará de regreso en Cochabamba y el laboratorio habrá iniciado el camino para convertirse en un recuerdo intranquilo.

Gritos en un cubículo. Rai se levanta a ver qué ocurre. Aimara llora.

–Estoy viendo a mi hermana muerta. Nunca pude despedirme de ella.

Yesenia le revisa los signos vitales. El corazón acelerado, pero es lo normal.

Él regresa a la oficina. Se desliza el cansancio por el cuerpo. Se recuesta en el sofá. Un don Nataniel de bordes difusos aparece en el vano de la puerta y pide que no se duerma, hay que cuidar que los trabajadores no flojeen.

Esa noche escucha ruidos en el cubículo de Aimara. Ella se restriega los ojos y se jala la gorra como si quisiera sacársela. Él le pregunta si ha vuelto a ver a su hermana muerta.

–No está muerta –grita.

Le saca la gorra y la consuela acariciándole el pelo. La cabeza hundida. Le levanta el mentón.

–El universo es una gran central eléctrica –dice ella–. Nosotros somos unos lindos muñecos eléctricos. Cada célula un dínamo. Cada uno de nosotros genera corriente. Cuando salto en paracaídas produzco un cortocircuito. La potencia de los muertos debe ser de alto voltaje. La potencia de mi hermana. No hay división entre las máquinas y nosotros. Llegué aquí en tren pero puedo irme corriendo por los rieles, conectada a cables eléctricos. Seré la mujer vehículo. Me llevaré a mí misma.

Una vez que la nota relajada él saca el celular de su bolsillo. Lo acerca a su cara, aparenta revisar algo, aprieta el botón rojo de la cámara y comienza a grabar.

El sollozo de Aimara se transforma en llanto. Rai sigue apuntando al rostro con la cámara. Ella le pide que pare y le rasguña la mejilla.

–¿Qué te pasa? Es para los archivos del laboratorio.

Rai le agarra los brazos y ella se tira en la cama y le da la espalda. Él sale de la sala, deambula por el patio, quiere tranquilizarse pero el corazón sigue su ritmo salvaje y percute en sus oídos.

El doctor quiere mostrarle a Rai la introducción entera al juego. Su llamada dispara ansiedades en Rai: se apoderan de su cerebro y no hay un código de neuroprotección que lo defienda. No debería probar más ni la alita ni la máquina. Y sin embargo…

Cuando está con él Rai le dice que los voluntarios son frágiles y no recomendaría a ninguno para probar la máquina. El doctor le agradece la opinión y le dice que la tomará en cuenta. Rai le nota un aire ausente, los pantalones sucios y la camisa arrugada, él que es tan prolijo, y el pelo revuelto, como si se acabara de despertar. Se pasa una toallita húmeda por los ojos, lo ha visto hacerlo varias veces, ¿tendrá algo? Exageremos: ¿síntomas de epilepsia o desorden bipolar? Da para reírse. Lo cierto es que no sabe mucho del doctor. Ha aprendido más de él en videos en YouTube o a través de sus recuerdos que a lo largo de estos días en el laboratorio.

Rai le ha tomado cariño al buzo háptico. Venía a la selva sin saber que se encontraría con esta alucinación tecnológica. Su cerebro ha resultado más plástico de lo que creía (mucho más capaz de engañarlo de lo que creía). Tupí VR debe estar satisfecha de su voluntariado.

Va adentrándose en la selva. Con su mujer, Camila y Manu llegan a una cabaña donde pasarán la noche. Camila tiene los brazos metálicos y un bejuco a manera de cola; Manu lleva una camiseta de la selección argentina y resplandece como si tuviera una fábrica de piedras preciosas en su interior. Ha llovido, las telarañas brillan en el follaje. Más allá de un curichi se divisa un bosque neblinoso. Árboles de troncos secos, insectos que aletean trastornados, arbustos que bajo el resplandor de la luz son un incendio.

–Camila, Manu, apúrense.

Dejan las maletas a la entrada acompañados por su guía. Él se acerca al mostrador a pagar el alquiler de la cabaña. Los ojos de las mujeres que los atienden son monedas de oro. Una hace sonar una campanilla y aparece el hombre que los llevará a la cabaña, garras de león en vez de manos.

Él se apoya en la pared y de pronto cede. Un letrero dice: NO PASAR. Detrás del letrero asoma un túnel. Escucha ruidos metálicos. ¿Dónde está? Un camino alternativo inventado por los diseñadores, un desafío para jugadores avezados.

¿Qué hace? ¿Ingresa por el túnel?

El temor lo lleva a volver sobre sus pasos. ¿Habría reaccionado así el verdadero doctor Dunn? ¿Puede él, como un avatar del doctor Dunn, intuir cómo reaccionaría el verdadero Dunn?

La encarnación virtual no tarda en juntar nuevamente a Rai con Dunn: deja de mirar al doctor desde Rai, regresa a mirarse como el doctor.

Ingresa de nuevo a la *realidad otra* en la que se hallaba antes de que cediera la pared. Camila y Manu cantan, tirados en la alfombra. Camila come hongos mágicos y se convierte en una vaca; Manu le jala la cola y sus pedos son notas de una sinfonía sinestésica: el paisaje va cambiando de colores con cada acorde.

Su mujer ve al hombre y se incomoda. El hombre evita su mirada. Él se percata de su machete a la cintura.

–¿Le pasa algo, doctor?

–Soy el doctor Dunn. Soy el doctor Dunn.

Se estremecen sus sienes, como si hubiera ocurrido un *glitch*. El dolor de lo que vendrá es una mancha que lo recubre, golosa. Pinchazos en torno a la nuca. No puede más y se saca el casco.

–Doctor Dunn –dice el doctor Dunn–, ¿le pasa algo?

Mueve la cabeza y se restriega los ojos.

–Sí, doctor –dice Rai–. Le pasa algo.

–Con calma, aquí estamos.

–Le pasa algo. Le pasa algo.

–¿Me lo va a decir?

–Yo inventé al hombre del machete en las alucinaciones de Alvarenga y los demás. Yo inventé al Gigante.

–¿Yo?

–Yo –dice Rai–. Usted. Y lo implantamos en el cerebro de ellos a través de la alita. ¿Qué compuestos le añadimos? Acepto que a don Nataniel y a los administradores los hayan inspirado las fotos en su escritorio. Pero el Gigante no.

–Usted está mal, doctor Dunn…

–Soy el doctor. No, no lo soy. Ya me saqué el casco.

El doctor no está tan equivocado, piensa Rai: no es suficiente abandonar el casco para que uno vuelva de inmediato a ser el que era. Pero esta vez no ha pasado mucho rato en el juego.

–No me acuses de tonterías, Rai, no tengo tanto poder. No se puede implantar memorias a través de la alita. Es al revés, más bien. La taxonomía de los delirios, las imágenes que conseguimos del cerebro de los voluntarios, me sugirieron qué crear para narrar esta historia. Esos delirios inventaron al Gigante.

–¿Inspirado por un empresario maderero?

–Que sus sueños se mezclen con los míos no es extraño. Yo soy el principal ayudante del guionista de esta historia. Todo esto está en uno mismo, Rai, no tienes nada que temer. La máquina extrae, no añade.

–Hay algo más, doctor. Está en el aire.

–En el aire de los tiempos, quizás.

–Puede que los algoritmos tengan su propio proyecto, distinto al de la compañía. Son pruebas experimentales, ¿no? ¿Qué sabemos?

–No te compliques.

Rai quisiera seguir discutiendo pero está agotado y le cuesta pensar.

Una tarde templada y nubosa –una bandada de pájaros negros en el cielo– los voluntarios prueban la nueva versión. En el recinto donde Valeria y Yesenia les dan las dosis, ellos en fila, tensos y curiosos, arrancando aplausos del suelo con sus chinelas, Aimara mira a Rai como si no lo conociera. Eso le duele a él más que si hubiera armado un alboroto, y se acerca a susurrarle unas disculpas. Ella le da la espalda.

Sánchez se fija en la mejilla de Rai, en el rasguño de Aimara.

–No me digás que fuiste a uno de esos antros de selváticas –susurra–. Si querés tengo buenísimos contactos al otro lado. Te puedo pasar unos *wasaps*. Todas vienen con fotos.

–No creo en esas fotos, Ricardo. Un amigo me pasó unos *wasaps* la última vez que fui a Santa Cruz. La que llegó a mi hotel fue una gorda y tuve que devolverla. Bueno, probablemente si ella me hubiera pedido también me habría devuelto. Mi perfil en Tinder es bien mentiroso.

–¿Y qué tenés contra las gordas? Son las más gustosas. Las más necesitadas. En realidad casi todas las mujeres quieren, solo que algunas de entrada dicen no o se hacen las indiferentes. Hay que dejarlas que ganen ese primer *round*.

Choque, al que se le ha dado una dosis y media –no han hecho caso a la recomendación de Rai–, tiene un ataque de pánico al descubrir figuras que salen de las paredes y se le acercan. Yesenia lo ayuda a llevarlo a su cubículo y le da azúcar para cortarle el viaje.

Rai toma notas en un cuaderno. Escribe que no está de acuerdo con dar dosis diferentes a los voluntarios de un mismo experimento. Todos deben probar la misma cantidad. Se lo dice a Sánchez, y él le da la razón. Rai escribe: *sánchez está ahí porque da la razón a todo el mundo y no quiere ofender a nadie ayuda ayuda ayuda y uno se olvida de él.*

Debería despedir a Sánchez. Sí, hará eso.

Valeria aparece y él sugiere de nuevo que no deberían pasar de una dosis a todos.

–Me gustaría tener una nueva reunión con... con el doctor Dunn –dice él.

–Está ocupado probando un nuevo compuesto. La recta final.

–¿Entonces no?

–No lo sé. Es una larga marcha.

Vuelve a la sala, a ocuparse de los voluntarios.

Valeria me está mintiendo, piensa. No está ocupado. No estoy ocupado.

Ante sus ojos se recorta una silueta. No le ve la cara, puede que sea el Gigante, lleva un machete a la cintura. Se le acerca cuando ve que por la ventana ingresa un pez volador. Una figura tenue, casi un espectro, que no termina de materializarse: antes de caer al suelo en su salto de un lado a otro del recinto, ya se ha desvanecido.

—Gracias por devolverme a la vida —dice su hermana, sentada junto a la piscina. Lleva casco, un buzo háptico verde y zapatos con suela de corcho. Ella le toca la cabeza y acaricia la cola de lagarto.

—Si no te hubieras ido no estaríamos en esta —dice el niño. Rai escucha su voz de adulto con el mismo timbre que la de él y se sorprende: es y no es él. Ruidos de estática. Debe apurarse.

—No sé si estoy aquí —dice ella—, tantos años que no estuve y viví en otra dimensión.

—Nunca estuviste del todo aquí. Y qué tal la otra dimensión.

—Nos quejamos de esta pero la otra es peor. Mentira que no estuve. Fui buena contigo y eso es lo que importa. Te llevé al cine y al estadio, hice las cosas que los papis no hacían. Te enseñé a sacar fotos, ver cómo la realidad brilla si usas bien la cámara.

—Solo que las cosas tienen hoy poco de real. Y no importa si estuviste o no, si estás viva o eres fantasma, sino que estás a mi lado y no te irás más.

—Por supuesto que me iré —ella deja caer un zapato a un lado, muestra la delicada curvatura de su pie, las uñas pintadas de celeste—, pero me puedes convocar cuando quieras, despierto o dormido, y regresaré.

El niño toma una limonada amarga y siente el escozor en la garganta. Arma figuras con las palabras de su hermana, bichos que se materializan en el jardín en forma de fractales y danzan en torno a ellos. Algas doradas, organismos unicelulares, amebas, plancton. Más allá de la piscina y el jardín asoma la selva. Mira a su hermana, quiere tocarla.

–He querido tanto volverte a ver –le dice–.

–¿Nos metemos al agua? –ella se pasa la mano por los ojos–. Lo bueno de desaparecer por tanto tiempo es que uno aprende quiénes lo quieren. Mamá me quería, pese a todo. Tú también.

Ella cruza y descruza las piernas largas sobre la toalla. De algún lado sale una música de flautas. Mi hermana no está muerta, dice el niño, convencido. Karina está aquí conmigo.

–¿Te quedarás esta vez?

–Me iré pronto. Por favor no le digas a los papis que estuviste conmigo.

–¿Adónde? –dice el niño–. A él no lo veo hace tiempo.

Karina ríe y su cuerpo se sacude. Deja caer el otro zapato.

–Me fui porque mamá me echó de la casa.

–¿Me contarás los detalles?

–Pregúntaselos a Miss Tiquipaya.

–No está ya con nosotros.

–La puedes convocar como me convocaste a mí.

–Buena amiga, nunca reveló tu secreto.

–Amiga no. Conocida, como todas las misses *que odié. Mi secreto a voces. El secreto que conocía toda la ciudad. El secreto del que te quisieron preservar, pobre. Pero no todos saben todo. Saben que mamá quería forzarme a ser una de sus chicas, decía que era guapa y debía aprender a sacar partido de mí misma, me obligó a ser azafata en una feria. No saben por qué esos meses me llevó a inauguraciones de hospitales y colegios junto a la Miss Cochabamba, bien vestida y perfumada.*

–¿Por el político de la cara quemada?

–Ah, sabes más de lo que aparentas. Sí. Yo hacía de todo para que se me corriera el maquillaje, me sacaba los zapatos en pleno acto y me hurgaba la nariz y los pies, mamá me reñía, pero el político le

decía que me tuviera paciencia. Me asusté, mamá tejía su tela y pensé, será verdad, será que esto que pienso es lo que ronda en su cabeza.

–Mamá no es así.

–Mamá es así. Ella pasaba los días en las oficinas de Promociones Delia y papá, tu papá, venía a mi cuarto a quejarse de que todo eran sus misses *y sus fiestas. Lo escuchaba y también me quejaba de mamá y de ellas. Tú eras él único que las toleraba. Así, entre queja y queja, algo ocurrió. Algo nació. Algo creció. ¿Lo vi como mi salvación? No lo sé. Sería loco, ¿no? ¿O mi suicidio? ¿Las dos cosas a la vez? ¿Algo, cualquier cosa que me sacara de ahí? Creía que no era consciente de nada y todo era puro sentimiento, pero se me ocurre que en mis actos de esos días había también algo consciente. Lo cual no quita que lo otro era genuino. Aunque hoy lo único que siento es vergüenza y rabia.*

Ella se levanta.

–Todo fue lindo hasta que las misses *invadieron la casa –dice–. Quise esconderme en ustedes. Permitieron que lo hiciera y un día ya no lo permitieron.*

La piel verde del niño es blanda y se hunde. Pierde espesor y se levanta del suelo y flota. Las amebas giran en torno a los dos. Deja de respirar. Su olor animal lo invade.

–¿Esto también lo hace la plantita?

–Por supuesto. Con la ayuda de tu cerebro, la plantita trabaja a tiempo completo para reinventarnos. Con la ayuda de tu ínsula, neocortex y amígdala, quiere que dejes de pensarte enfermo. Quiere que todo tenga una explicación.

–¿Lo tiene?

–¿Cuáles son tus conclusiones?

Karina se agacha y él no le ve la cara. Se mueve ella y también su fantasma. Observa los reflejos de su cuerpo en el pasto. Del cuerpo de ella sale una música que lo envuelve.

–Fue una vida dura, en la otra dimensión. No hubiera querido irme, pero los que desaparecen no tienen derecho a elegir. Ahora me

regreso. Si no, alguien llamará a mamá. Como esa noche. Una miss *quería probarse un vestido y por equivocación entró a mi cuarto. Y…*

–¿Y?

–Papá estaba ahí, conmigo.

–Ajá.

–Al día siguiente mamá recibió una llamada anónima. Nos confrontó. No pude mentir. Habló con mi padre ese mismo día y me compraron el pasaje para que me fuera con él a Miami al día siguiente. Papá, tu papá, bajó la cabeza. Me quedé sola. Ese sábado me levanté temprano y me despedí de ti y de doña Leo e hice mis maletas. Fui caminando por el Prado a la Colón, pasé por las oficinas de Promociones Delia, llegué al Loyola. Miraba los árboles en la jardinera que da al Viedma y pensaba: no volverás a ver todo esto. Ni a tu hermano ni a tus amigas. Lagrimeaba. Es monstruoso lo que han hecho, decía mamá. El monstruo es el amor, pensaba yo. Quería tenerle pena a mamá y no podía. Pensaba: después de un tiempo él irá a buscarme. Así pasó un año. Dos. Pero, ¿dónde carajos estaba mi cabeza? Porque, si tienes quince y la otra persona casi casi te triplica la edad, ¿qué conclusiones sacas? Treinta y un años ya y todavía recuerdo esa noche en el Volkswagen, con mamá rumbo al aeropuerto por la avenida junto al río mientras ella me insultaba y decía que me quería, ay qué vergüenza hija, la cola frente al mostrador, y yo caminando para abordar el avión y girando la cabeza cada rato para ver qué dejaba atrás y con la esperanza de que él apareciera para despedirse. Nada. ¿Qué le vi? No sé. Me trataba bien. No me ignoraba. Respetaba mis formas de ser tan lejanas de las que mamá quería. Un respeto nacido de la falta de respeto. De algún lado tenía que nacer, supongo. Todo terminó siendo hasta por ahí nomás. Pero, ¿qué esperaba yo? En serio, ¿qué? Qué confusión. Qué dolor.

–Hermanita, no te vayas –dice el niño desde el fondo de su garganta.

–Me iré y no me iré –dice ella y le toca la cola de lagarto y lo abraza.

–No creo que no estés aquí –dice el niño–. Podría sacar una foto y tener una prueba de tu visita.

–Niño verde, niño monstruo, no necesitas más pruebas que la certeza de tu alma en vilo.

–¿Y si me muero yo y me voy contigo?

–Te esperaré allá, hermanito.

–Entonces, ¿todo fue así como me lo cuentas?

–No has entendido nada. Por supuesto que no.

Karina le da un beso en los labios, se da la vuelta y se tira a la piscina. Él se queda viéndola en medio de las ondas concéntricas del agua esmeralda, hasta que ella no está más ahí.

Rai duerme toda la mañana y al mediodía, en el salón comedor, se entera de la desaparición de Yimi. Valeria, Sánchez y los voluntarios lo buscan por el laboratorio, sin suerte; Sánchez especula que quizás se voló, pero Valeria le dice que sus alas estaban cortadas, aparte de que le quedaban pocas plumas, y señala que lo más probable es que se lo robaron.

–Así como la ven, es una paraba cara.

–Gente de mierda, por unos pesos. El pobre Yimi no aguantará mucho con otros.

Rai no ve a Yesenia por ninguna parte. Quizás ella sepa algo, piensa. O mucho.

Él enrumba a la ciudad, deja a Valeria preocupada por la reacción del doctor Dunn (quizás no sea nada, dice ella, tan metido en las pruebas, pero igual). Se pregunta dónde estarán las dos Karinas, la real y la reconstruida por la alita.

Zumbidos en los tímpanos. La cabeza disasociada del cuerpo, como flotando en el aire por cuenta propia. En Instagram le ofrecen desgastadas monedas de oro, hongos mágicos, zapatos de mujer con suela de corcho, Lamotrigina, DVDs de Holly Michaels (la cosa se ha puesto peligrosa ahora que la máquina ha descubierto los *deepfakes*: debe evitarla). En un canal oficialista hay una entrevista a Amparo, la hija del Compañero Presidente: menciona indignada el montaje en el que la han hecho aparecer con el cuerpo de una actriz porno, la falta de respeto de la oposición a su privacidad, pero dice que no se siente una víctima. Señala que hay cibercrímenes más graves que el suyo, como el de ese cantante que junto a sus amigos violó a una fan e hizo circular lo filmado por sus grupos de *wasap* (la chica se suicidó), o el del exnovio de una universitaria en Montero, que la acosó mandándole los videos privados que habían filmado cuando estaban juntos y amenazándola con hacerlos circular si no volvían (no volvieron, y los videos circularon). Dice que darán con el responsable de su *deepfake* pero que la cosa va más allá de una persona y que hay que cambiar el sistema. Será candidata a la Asamblea Legislativa en las próximas elecciones; si sale elegida propondrá una ley contra el acoso y la violación virtuales, elevándolos al mismo rango que el acoso y la violación reales. Termina mirando a la cámara y pronunciando la frase-estribillo: *mi vida no es tu porno.*

A Rai le cuesta procesar la información. No cree que ningún diputado tenga suerte regulando las redes, pero se preocupa al descubrir que su *deepfake* de la doctora Cosulich es tendencia en BoliviaXXX y ha sido visto por más de mil personas: está alcanzando masa crítica, eso significa que le puede llegar pronto a su *wasap* y también al de alguien del laboratorio. Decide bajarlo: no quiere sustos.

El micro lo deja cerca de la plaza principal. Un resplandor inusual ilumina las paredes de las casas, las plazas y jardines; los árboles lucen anaranjados y amarillos donde debiera estar el verde y adquieren tonalidades brillantes. Sus raíces levantan del suelo las baldosas de las aceras: una insurrección de la tierra. Está sensible y baja la cabeza, respetuoso.

Fumigadores de la alcaldía recorren las calles. Con sus uniformes blancos se le antojan llegados del futuro. Pero la unidad se parte: los árboles son del 2043, delante de él hay una casa quebradiza del 1956, y él trata de aferrarse al presente pero se resbala. Así con todo: no hay dos puntos en el espacio que coincidan en el tiempo.

Cierra los ojos con la esperanza de recuperar la unidad al abrirlos. No sirve de nada. El tiempo se triza aun más. Debe continuar. ¿Hacia dónde va su flecha?

Se ve ingresando a una fiesta con una botella de vino tinto en la mano. Sus colegas de la facultad se alegran de que se haya animado a venir. Uno de ellos le presenta a una de sus alumnas: Tania, mucho gusto.

Saca fotos en modo Timeline. Captura la plaza Nataniel Roca con el año 1973, se sorprende del barro que la rodea, el carretón uncido de bueyes a las puertas de la iglesia, la flamante estatua del prócer cagada por las palomas. Se desplaza a 2028: los árboles han desaparecido. Este celular se va a lo seguro.

Es cierto: también la tecnología tiene visiones. Proyecciones que trascienden el sentido de la vista y recubren el cuerpo. ¿Cuál oráculo lo afecta más? ¿El de la planta, cuya lógica desconoce, o el de la tecnología, cuya lógica debería entender pero que, al ser elevada a la máxima potencia por pura fuerza bruta, se convierte también en un misterio?

Cerca del mercado, en la pared lateral de un edificio, un mural de Amarildo. Que otros lo busquen a él en el mural, como hace Sánchez; él está detrás del predicador huesudo y lo encuentra en la esquina superior izquierda de la pared entre mujeres serpiente. Le tranquiliza encontrarlo: no toda la realidad es movediza.

Compra una bolsa de manzanas rojas, pequeñísimas y manchadas, y se descubre preguntando por Raulito entre los pasillos. No está por ninguna parte.

–Se ha ido con gente como él allá al otro lado –le cuenta la sandwichera revolviendo los tomates y las cebollas con sus manos de dedos regordetes–. Se lo llevaron sus padres en una *voadora.* Lo agarraron por sorpresa una madrugada, dormía y lo cargaron. Chillaba, pataleaba, nada pues. Pobre Raulito. Aunque no sé. Puede que sea lo mejor para él. Si tiene el desorden mejor que esté con gente igual, ¿no?

–Supongo –responde sin mirarla, confundido por la noticia.

–El Raulito estaba así desde hace tiempo ya –dice sin dejar de cortar los tomates y las cebollas, mezclándolo todo en una palangana–. Abusó de la plantita. Su papá alcalde de un pueblito de por aquí cerca llegó a ser, ese que lo tuvieron que trasladar por culpa de una inundación. Luego al papá lo arrestaron, era pues narco y parte de un negocio de trata de niñas, de diez, doce añitos, así, y el Raulito se quedó vagando por las calles. Su desorden bien grave es.

–¿Desorden?

–Un desorden que se llama el Desorden. No puede dejar de ver cosas. Ni dormido ni despierto. ¿Nadie le habló de eso?

–Alguna vez lo mencionaron, pero sin darme detalles.

–Es que es bien raro. A muy pocos les pasa, pero les pasa.

–¿Abusó de qué plantita?

–Sabe a cuál me refiero, joven. Todo depende de cómo se la use. En general es buena. Dicen que más allá de Rio Vermelho hay una comunidad de pura gente como el Raulito.

Rai se pregunta qué cosas ve Raulito que nadie más ve.

–Yo tenía un tío al que le pasó lo mismo –continúa la sandwichera–. El desorden es como estar soñando despierto. Un sueño que nunca se termina. Usted puede estar viendo mi cara pero también puede estar viendo al mismo tiempo un bufeo junto a mi cara. O una capibara.

Él piensa en la comunidad del desorden en Rio Vermelho, en la gente que vive allá, unida para enfrentarse a un mundo intolerablemente vívido que superpone versiones imaginadas a las reales.

–Dicen que Alto Espírito, así se llama la comunidad del desorden, es bien seria –se limpia las manos con el mandil manchado–. Que pagan a un médico para que esté de turno todo el tiempo, que los pacientes tienen revisiones semanales y a algunos que se mejoran les dan permiso de marcharse pero están tan bien atendidos que no quieren moverse.

Un chapi con cola en forma de tirabuzón le huele los zapatos al salir del mercado. Él le hace cariños, el chapi le muestra los colmillos y lo hace escapar.

En la mototaxi de regreso al laboratorio se ve acercándose a Tania a pedirle su teléfono antes de irse de la fiesta.

Rai lee en la red sobre el desorden. No hay mucho. Testimonios personales, ningún estudio científico. Parece ser la versión local de un desequilibrio de la percepción causado por el uso de alucinógenos. Se diferencia de los *flashbacks* del ácido por su persistencia.

Está casi seguro de que tiene el desorden. También cree que casi todos los voluntarios lo tienen. Y si no, caerán pronto.

De verdad que está lento.

Debe tratar de tomárselo con calma. Hablará con doctores a su regreso a Cochabamba, aunque intuye que esto los superará.

Valeria y Sánchez pasan por su estudio preocupados porque no ha aparecido para controlar a los voluntarios. Rai les pregunta por Yimi: no hay rastros, responde Valeria con un tono agresivo que no le conoce. Mientras habla su mirada recorre el estudio, como si estuviera buscando pistas para incriminarlo.

–¿Y Dunn?

–No parece muy preocupado, sorprendentemente.

Rai les pide disculpas por no haber aparecido; ha estado con dolor de cabeza, la nueva versión de la alita es muy fuerte.

–Quizás haya que dejar que pase más tiempo entre las tomas. O poner un límite de tres meses a los voluntarios.

–No creo que sea necesario, Rai –dice Valeria–. Vos hacé tu trabajo y punto. El doctor dice que con una versión más acabamos.

Rai se confunde por unos segundos: ¿está hablando de mí? Luego les pregunta si saben de una comunidad llamada Alto Espírito.

–Fui una vez llevando donaciones, comida, juguetes con mis amigos de la comunidad –dice Valeria, molesta pero curiosa–. Un lugar con una vibra extraña. Setenta personas frente a un altar vacío, escuchando el sermón de alguien que yo no veía pero ellos sí. Qué hermoso el hermano, me decían, y yo asentía. Todos alucinando juntos como si fuera lo más normal. ¿Por qué me lo preguntás?

–¿Verdad entonces que ven visiones todo el tiempo?

–De otro modo no llegás a vivir ahí. Dicen que no solo ven visiones sino que pueden llegar a dominarlas, interactuar con ellas, convertirlas en parte de su realidad, incluso compartirlas.

–El chico del mercado, Raulito. Dicen que se lo llevaron allá.

–El famoso Raulito –dice Sánchez–. No me extrañaría. Tiene el cerebro quemado hace rato.

–Y la mujer de Juan Gabriel, del chamán... también tiene el desorden, ¿no?

–Dicen que es la plantita pero no lo creo porque ella no inventa nada, solo descubre lo que hay en vos –replica Sánchez–. Los que tienen el desorden lo tenían antes de probar la plantita. Pero sí, hay una que otra gente por aquí.

–Si no es la plantita, ¿qué es?

–En las beneficiadoras usaban agentes tóxicos ilegales –Sánchez parece estar a la defensiva–. Hay ríos contaminados con todo lo que vaciaban. La gran mayoría de los voluntarios viene del mundo de las beneficiadoras, de las madereras. Como

Alvarenga. Es cuestión de la superposición de esos mundos. Las visiones de la plantita pueden ser de efecto retardado.

–Suena raro. ¿Y no han pensado que... los voluntarios, ustedes, tú mismo, podamos estar con el desorden?

–Rai –dice Valeria, enfática–, te pido que no exagerés. A nadie le sirve el alarmismo, deberías enfocarte en otras cosas, sabés a qué me refiero. Las visiones persistentes que te preocupan, esas que aparecen mucho después de la toma, son un típico efecto de la alita. Bueno, un poco más intensas de lo normal por el preparado del doctor. Pero por lo que entiendo el desorden es de otro nivel. Algo permanente. No podrías estar hablando conmigo mismo ahora, concentrarte. Estarías viendo pájaros revoloteando en mi cabeza, qué sé yo.

–Es que los veo. Bueno, pájaros no. Imágenes extrañas. Algas doradas. Amebas gigantes. Fractales movedizos. A veces sueltas, otras se articulan en historias. No se ha investigado esto, ¿no? No sabemos nada del susodicho desorden. Puede que no sea necesario tenerlo todo el tiempo para tenerlo. Puede que haya gradaciones.

La defensa de Valeria y Sánchez es circular: no lo tenemos porque no lo tenemos. A Rai le queda claro que a pesar de sus dudas con el experimento son incapaces de rebelarse. ¿Como él? Se descubre alerta por un rato. Le preocupa, pero tampoco sabe si tiene fuerzas para oponerse.

Valeria y Sánchez salen del estudio, él los sigue.

Esa tarde imagina la primera salida con Tania: ella con un vestido azul floreado, él con una camisa de manga larga que le queda estrecha. Ella bromea: solo te falta la corbata. Él le habla en la cena de experiencias extracorporales, ella le cuenta que su compañía ha decidido crear una etiqueta de "marca de vida sustentable", enfocada en apoyar una preocupación social o ambiental.

Su madre quiere hablarle y se esfuerza por evitarla. Las comunicaciones están mal, mamá, llueve un montón. Logra contactarlo por Skype. Dos de sus muchachas se han pasado a las Chicas Fit y quiere hacer un calendario para reactivar Promociones Delia, pero le han dado una cotización altísima. Hay en él un momento de confusión: ¿Chicas Fit? Se recupera:

–¿Y cómo te sentís?

–Ya estás hablando como camba. Te dejo solo un minuto y no puedes con tu carácter. No sé qué haré. Para colmo fui a un canal y la periodista me dijo que me veía cambiada. Sé lo que pensaba. A todos nos llega pero no se lo deseo a nadie. Me han llegado los años, hijo.

–No digas eso, mamá, estás guapita. Lo importante es cómo se siente uno y tú estás bien. Ya quisiera la gente tener tanta energía a tu edad.

–No me vengas con tus consuelos tontos, hasta en eso me has salido mal. Cambio mi energía por menos arrugas. Es que es tan linda la belleza. ¿Y tú cómo estás?

Es que es tan linda la belleza: eso es metafísica popular. Rai tiene ganas de preguntarle cosas sobre lo que vio y escuchó y se esforzó por *desver* y *desescuchar* para preservarla.

–Todo bien, mamá. Con ganas de volverme.

–Es que te dije. No hay nada en esos pueblitos, aburridos

como chupar clavo. Una vez pasé diez días en San Ramón y casi muero. Íbamos a tomar leche al pie de la vaca en las madrugadas, eso era lo más interesante. En San Joaquín un tipo se me tiró encima. Hay cada hombre.

Rai la escucha y le dan ganas de blandir su acusación. Quizás no sea el momento. Quizás nunca lo sea.

Antes de dormirse Rai recibe un *wasap* de Sánchez pidiendo que le cuente más de los *deepfakes.* Rai le pasa enlaces a 4chan. Sánchez le escribe media hora después:

pensé q costaba hacerlos & resulta q
UNA app basta

una basta pero cuesta q salgan perfectos

vos sabés hacerlos no? Me mostrás?
me enseñás

Lo tienta mostrarle algunos. Pero, ¿no se meterá nuevamente en un lío? ¿No aprendió la lección? ¿Es Sánchez de confianza?

con los links que te envié podrás hacerlos
por tu cuenta
tú mismo lo has dicho no es difícil

con que esas tenemos querido sabrás
que aquí uno se entera de todo

Ricardo soy un hombre nuevo
por algo me contrató el doctor
cambiemos de tema y no me compliques

Esa noche Rai no puede dormir bien.

A veces escucha pasos a sus espaldas y al darse la vuelta descubre al Gigante, su versión efímera del Gigante. Se afeita en el baño y aparece reflejado en el espejo, el gesto burlón, la polera de Judas Priest. Le pregunta por los padres de Alvarenga pero no le responde. Una mañana ve su machete a la cintura y recuerda haber visto una imagen similar hace poco: la del chamán en el anuncio de una agencia turística cerca de la plaza principal. No está seguro de que esa imagen haya inspirado la creación del Gigante, pero eso le hace pensar nuevamente que el Gigante nunca existió y que la historia de Alvarenga está poblada de mentiras o quizás es toda ella una mentira.

¿Importa? Igual el Gigante ahora lo visita seguido y se estremece de solo verlo.

Experimentan con la nueva versión. Dunn dice que en unos días pasarán a una versión incluso más nueva, con la que cerrará la etapa de pruebas, pero Rai se ha prometido irse antes de que eso ocurra. Le habla del desorden y no llega lejos. El doctor menciona neurotransmisores inhibitorios sensibles, anomalías, nada imposible de generalizar. Rai intenta verle el lado positivo. Puede que hasta sea un don, piensa.

A Dunn se lo ve entusiasmado y eso contagia. Sabe quién se ha robado a Yimi y ha perdonado a esa persona, es por una buena causa, dice. No habla mucho de Tania o de sus hijos; Rai le ha escuchado decir que puede imaginarlos en Manaos o quizás una floresta protegida y que cuando menos lo sospechen les caerá: no se resigna y quiere que sepan que su paciencia es infinita. A Rai lo visita una sensación incómoda cuando escucha sus palabras, de tristeza y desolación ante la pérdida.

–Será la última –Valeria agita las manos–, con estos datos tendremos material suficiente.

Lo que viene le preocupa a Rai. En la última prueba ha aparecido en un par de voluntarios un personaje que les provoca pavor. No pueden describir su rostro porque lo tiene borroneado, pero es alto y lleva un machete a la cintura. Lo ven internándose en la selva, dando órdenes a su gente, latigueando a los indígenas.

Ese personaje es su versión del Gigante, piensa. Como la suya. Alvarenga no era el único. Simplemente fue el primero. Su delirio con la alita los contagió. ¿Pueden soñar todos lo mismo? No resulta disparatado pensar que sí. En la taxonomía de la alita hay varias imágenes que se repiten. Los pumas. El deseo de volar. Los palacios. Figuras que la máquina convierte en patrones caprichosos en su intento desesperado por replicar el delirio.

Ellos no miran. La alita mira por ellos. La planta es la reina de la floresta y su vida se dispersa en ellos. Como los gusanos que siguen viviendo después de ser cortados en dos, el alma vegetal se divide y se comparte.

El Gigante no estaba clasificado en esos sueños. Es propio de estos voluntarios, de este lugar, de este experimento.

¿Hay algo en el aire que provoca que aparezca el Gigante?

El Gigante es una memoria inventada. El asunto es si fue creado de la nada o lo inspiró algo real.

Dicen que la alita dice la verdad. Esa no es toda la historia. La alita también miente. Rai se anticipa a la respuesta de Valeria y de Sánchez: en sus mentiras, también dice la verdad.

Busca en las redes el nombre de su hermana. No lo encuentra.

Le tienta escribirle a su padre. Viene a Cochabamba cada tanto pero no se reporta, una vez lo encontró en una salteñería del Prado y quiso disculparse por no haber llamado. Después de la separación se fue a Uyuni a montar un negocio. Ha hecho todo por mantener su distancia. Su madre le dijo que no era casual: ella le había prohibido contactarlos. Rai no estaba en desacuerdo con esa decisión; de hecho, prefería tenerlo lejos de su vida. De todos modos, se le había despertado algo de curiosidad.

¿Y ahora, qué hará con su madre cuando regrese?

Esa tarde se imagina yendo al parque Vial con Tania. Se aburre de ver a Camila y Manu subir y bajar entre el armazón de cubos de plástico. Poco después se da cuenta de que no tiene mujer ni hijos.

Descubre una oficina de derechos humanos cerca de la plaza principal y se acerca a contarles de la situación de un grupo de familias indígenas esclavizadas por sus patrones en el monte. Eso, al menos. Los hacen trabajar en la cosecha de la castaña y los endeudan de por vida. Menciona a un indígena escapado de allí que puede servir de testigo; les da el celular de Alvarenga. Después de hacerlo siente que ha traicionado al Gigante y a don Nataniel, pero debe ser capaz de mantener sus nuevas convicciones (a ver cuánto duran: es experto en dinamitarlas para volver a aquello viejo e incómodo pero seguro de tan familiar).

Una mujer le trae un mapa para que le señale dónde ocurren los abusos, cerca de qué población. No sabe qué decirle y está tentado de mentir. Le pregunta cuántas familias están en esa situación y se inventa un número: ciento cincuenta. Le dice que puede describir al capataz y dibuja al Gigante en una servilleta; el Gigante está ahí delante de él, al lado de la mujer, y no le cuesta captar su rostro inmaterial en unos trazos. Hay un instante en que siente que todo es una representación, una mentira que apunta a una verdad. Incluso si es cierto, todo eso ocurrió una década atrás y quizás el Gigante ya no exista.

La mujer le agradece con efusión mientras observa de reojo su celular, verá qué pueden hacer. Según el CEDLA hay seiscientas familias guaraníes en esa condición en el sudeste del país y más de mil en torno a la cosecha de la castaña y la explotación de la madera. Hablarán con Alvarenga, lo mantendrán informado. Le pide su nombre y su teléfono. Él le da su número y le dice que pregunte por el doctor Dunn.

Le tienta contarle del desorden. De las pruebas mal hechas en un laboratorio. Pero es parte del equipo y terminará arrestado como los demás. Debe pensar mejor qué hacer al respecto. Ahora que está fuera, ¿tomar un taxi al aeropuerto, comprar un pasaje y ya?

No es fácil. Nada es fácil. Debe ser responsable ante su gente.

Sale de la oficina sin saber si ella lo ha tomado en serio del todo.

Después de entrevistar a Aimara y someterla nuevamente al test de apercepción múltiple decide que no formará parte del grupo de voluntarios para la última prueba. Ese será el favor de despedida que le hará. Mitigará la posibilidad de que la afecte el desorden.

Está trastornada, agresiva con él y con Sánchez. ¿Cómo no? Se ha quejado de dolores de cabeza y ataques de náusea. Aimara y los otros no han estado dejando pasar al menos una semana después de cada toma. Esos errores no deben repetirse.

Aimara se acerca a la oficina a pedirle que la deje participar en el nuevo experimento.

–Necesito el dinero –dice, la voz urgida–, para pagar un tratamiento a mi madre.

De paso menciona que no es justo que les paguen por cada participación, debería ser por semana o al mes. Él le da la razón en ese tema, hablará con la doctora. Ella le dice que el doctor Dunn le ha prometido un dinero extra por cada visita al juego.

–Nos está saliendo bien… el juego –dice él–. Lo habrás notado.

–Es muy inmersivo. El otro día fui el doctor Dunn. Qué cosa más rara, ser hombre.

–¿Y cómo te fue siendo… el doctor Dunn?

–El doctor me dijo que no dijera nada, que es confidencial. Me dolió la cabeza harto, eso no me gustó.

–¿Y no has recibido ofertas raras por internet?

–Me aparecieron anuncios de un partido nuevo en contra del aborto. Cosa rara, porque yo… bueno, no hablemos de eso. Y ayer estaba leyendo *El Deber* y me salió la propaganda de unas muñecas que ya no se consiguen de mi infancia. ¿Cómo supieron que las coleccionaba? Me asusté. No se lo dije a nadie últimamente.

–Quizás las soñaste –Rai se pregunta si esos anuncios del partido son un *glitch*, parte de un prejuicio instalado por los ingenieros en los algoritmos de la compañía, o algo más consciente, una campaña explícita de los dueños de Tupí VR para moldear la conducta de los usuarios. ¿Y los anuncios de medicamentos que él recibe? No podrá acercarse a la verdad; solo sabe que el juego está trabajando en sus cerebros.

–Eso sí, días atrás, soñé que era una de esas muñecas. ¿Y, doctor, podré participar?

–No estoy seguro. Tendremos que seguir los canales adecuados. Un test, una entrevista y veremos.

Aimara insiste, amenaza hablar con Dunn si no la incluye. Él se esfuerza por no ceder pero termina haciéndolo.

Cuando los voluntarios están perdidos Rai charla con Yesenia y espera que ella se vaya pronto para poder quedarse solo con ellos. Él le dice que extraña a Yimi. Yesenia le guiña y le responde que se encuentra segura de que Yimi está bien, muy bien, mejor que nunca.

Una vez solo, Rai observa a Aimara por la puerta entreabierta de su cubículo. Está sentada en la cama con las piernas cruzadas; la pulsión es fuerte, pero él piensa en su hermana y en la alita.

Pasan los segundos. ¿Podrá?

Pasan los minutos.

La filma procurando no hacer ruido.

Rai ingresa al cubículo y ella lo mira como si no lo conociera. Se acerca a levantarle la falda y deja un muslo al descubierto. Lo toca, comprueba su firmeza. Va bajando la mano, abre un espacio entre la piel y el *hipster* negro de algodón. Ella reacciona y lo empuja entre chillidos. Su espalda golpea contra la pared.

Sánchez aparece en el umbral. Su rostro no disimula la sorpresa al ver la escena.

–Tuvo una mala reacción –Rai recupera la estabilidad, se para como si no hubiera ocurrido nada–. Quería sacarle una foto y se molestó. Estaba intentando calmarla.

–Él, él –solloza Aimara apoyada en la pared, señalándolo–. Ustedes… el enemigo.

Empuja a Sánchez como si lo desconociera. Él la agarra de las manos, trata de tranquilizarla, le pide a Rai que se retire. No hice nada, dice Rai. En serio. No la toqué.

–Luego hablaremos.

Una llamada lo despierta. Contesta pero nadie responde. ¿Aimara? ¿Anahí? Hay varias opciones.

Intenta volver a dormir pero no puede. Camila y Manu juegan cerca de la mesa ratona, los saluda con la mano y ellos no le responden. Se les acerca y Camila le dice:

–Es tu cuerpo pero tú no eres él.

–Si estás pero no estás –añade Manu–, ¿significa que estás y no estás?

Desaparecen. Regresa a la cama y lee adormecido en 4chan comentarios poco originales en "amateur voyeur" y "amateur/stalker". El *deepfake* de Aimara recibe ataques por su pésima calidad. Quiere contestar pero lo expulsa el desgano.

Mientras orina ve en la tina a un hombre recostado en posición fetal. Se pregunta si él es el real y Rai el imaginario o si es al revés.

Se da un puñetazo en la cara. El golpe destempla sus nudillos y da de lleno en el ojo derecho. El pómulo se hincha y un moretón recubre los párpados. Llena una bolsa con hielo y la coloca sobre el ojo esperando que amaine el dolor.

Se echa en la cama, busca excusas para sus colegas.

Sánchez le pregunta en el desayuno qué le ha pasado. Les cuenta a él y a Valeria que por la noche se levantó para ir al baño, se desorientó y se dio de lleno contra el filo de la puerta.

–Hazte ver –dice Sánchez.

–Debería. No me estoy sintiendo bien. A ratos no me reconozco.

–No, en serio –insiste Sánchez–. Hazte ver. Nos pasa a todos. Hay días en que no me siento yo y todo se me hace, cómo decirlo, de mentira. Un decorado.

Valeria está seria. Quiere saber si tiene listos a los voluntarios. Él le dice que solo serán tres y que no quiere que ninguno tome más de una dosis. Antes de partir ella le pregunta por los borradores de ese método más científico que les prometió para los experimentos. Lo toma por sorpresa, porque es cierto, llegó con esas ínfulas pero luego se distrajo.

–Dame un par de días.

–He hablado con Aimara –dice ella–. Prefiere que vos no estés a cargo de ella en los experimentos. Dice que vos sabés por qué.

–No tengo idea.

–Raro, ¿no?

Se marcha.

Sánchez le pregunta luego qué pasó con Aimara. Le asegura que nada.

–Evitemos problemas, querido. La compañía es estricta con este tema. Cualquier queja es tomada en serio, tenés que mantener tu distancia.

Rai baja la cabeza.

Más tarde Sánchez quiere saber si podría hacerle un *deepfake*. Rai duda, ¿es una trampa? ¿Una tentación del bajo astral?

Le pide a Sánchez que le envíe el video. Le llega uno de Yesenia. Está recostada en una cama, durmiendo sin sostén; de pronto Yesenia despierta, hace un mohín cómplice a la cámara, aparecen hoyuelos en sus mejillas.

Rai busca en Porn Star By Name. El algoritmo le entrega a Gina Valiente, brasileña. Su tez es un poco más oscura pero funcionará. Ingresa a FakePorn y sube el video de Yesenia. La *app* sugiere tres escenas en las que Gina está recostada en una posición similar a Yesenia. Rai elige una en la que un rubio coge a Valiente por atrás. El encaje de la cabeza de Yesenia con el cuerpo de Gina no es el adecuado. Hay que hacer ajustes. El video tardará.

Sánchez le envía un *wasap*:

cómo anda todo

Rai le dice que está encontrando problemas y que le dé media hora.

Es arriesgado meterse en líos entre colegas. Una cosa sería si Sánchez le prometiera usar el *deepfake* para consumo personal. Pero es más probable que su despecho lo lleve a usarlo para vengarse de ella.

Rai le informa que no ha podido hacerlo.

Es así con estas cosas encontrar los videos
q casen es buscar agujas en un pajar
no es nada fácil hay q tener paciencia

Sánchez le envía un emoticón de molestia y le dice que no le cree.

No te enojes de verdad q lo intenté

Sánchez no contesta.

El doctor Dunn llama a Rai para probar una nueva sección del juego. Rai quiere negarse, pero después de un rato descubre que le es imposible. Dunn lo espera en el patio. Lleva barba de un par de días y la nariz aguileña resalta ante los ojos cada vez más hundidos. La humedad atosiga a Rai; el aire caliente está detenido debajo de los árboles y cuesta caminar. No extrañaré este calor, piensa.

–Para esta parte no necesitamos de los voluntarios –dice Dunn al ingresar al galpón–. Es más que nada un trabajo de lógica narrativa. Hay que encontrar sentido en cada paso que dan los personajes.

–Tramposo eso, ¿no? –a Rai lo alivia el aire más fresco–. Hacemos muchas cosas sin sentido.

–Cansador más que tramposo. Me gustaría respetar esos momentos en que la historia es incoherente. Pero si lo hago los jugadores se desinteresarán. Hay que forzar el relato y ver qué pudo pasar de manera verosímil. Un acercamiento a los hechos les devolverá su sentido.

–Lo que usted cree que es su sentido.

–Es parte de mi papel en esta historia –Dunn le entrega el buzo a Rai, limpia una mancha con su pañuelo–. El asunto es que se vaya complicando. Que los algoritmos creen opciones de acuerdo a la experiencia del jugador. Opciones falsas, por supuesto, porque todos los caminos los terminarán devolviendo a la trama principal.

–Como la vida misma.

–Que aparezcan opciones que el diseñador del juego no ha tomado en cuenta pero que el juego está preparado para entregarle al jugador sobre la marcha. Tania me la hizo complicada. Uno puede llevar a cabo mil simulaciones de mi vida y lo que hizo no hubiera salido como posibilidad. Bueno, mentira. Tenía que haber al menos una.

Rai se enfunda el buzo y se coloca el casco. Algún día una nueva generación se sorprenderá de las cosas que se les dejaba hacer a las compañías de extracción de datos. Porque eso es Tupí VR. La adicción, el placer, la solución a una necesidad, son más fuertes que el deseo de privacidad (o quizás sea al revés, piensa: quizás algún día las compañías y las redes acostumbren a la gente a compartir sus datos más íntimos y haya otro concepto de privacidad, en el que hasta los *deepfakes* se hayan normalizado).

–Esto ocurre al final –dice Dunn–, después de la experiencia lisérgica con la alita. Si todo sale bien se supone que el protagonista habrá encontrado las claves durante el viaje para saber dónde están su esposa, sus hijos y el secuestrador.

"El secuestrador": Dunn le ha cambiado la valencia a Huáscar Parada, alguien que no sospecha que para otra persona se ha convertido en una leyenda personal.

Rai se ajusta al cuerpo del protagonista. Está en un Passat prestado por un amigo en Villa Rosa. En la radio escucha las noticias en portugués. Un detective de Interpol en Rio Vermelho lo llama para decirle que según sus pistas puede que Tania esté en Capixaba, a dos horas de la frontera. Contesta: muchas gracias por ponerse en mi lugar. ¿Quién contesta? ¿Él o el doctor? Desajustes que no duran.

Maneja hasta llegar a una bifurcación: el camino de la

izquierda está abierto y lleva a Capixaba; el de la derecha, cerrado, lleva a Xapuri, a media hora.

Decide no hacerle caso al detective, obviar el camino principal, la trama principal, e ingresa por el camino a Xapuri. Se le cruza una imagen de Tania viendo televisión con sus hijos en la casa, pocos días antes de que se fueran; él le hace una broma, ella no le responde, preocupada por escuchar a Manu. En ese momento no le dio importancia, ahora piensa que por sus gestos ella ya tenía planeada la huida por entonces. Se le viene una imagen de ella en el Hupermall, subiendo por las escaleras mecánicas con un vestido azul abolsado; él acababa de entrar al centro comercial, buscaba un cable para su *laptop*. Ella no se dio cuenta que él estaba por ahí y la seguía. La vio entrar a una zapatería en el tercer piso. Salió sin haber hecho ninguna compra. Él cree que ella estaba en busca de un regalo para otra persona.

Con el auto atraviesa los palos y piedras que bloquean el camino de la derecha. Sortea los vidrios esparcidos en la ruta.

Ha llegado la noche. Estaciona en una calle aledaña a la plaza principal, cerca del río. Los mosquitos lo atacan al salir del auto. Palpa el revólver en un bolsillo interior de la chamarra ligera. Hace calor pero no se la quiere sacar. Qué nítidos los colores y el sonido –el chirrido de los grillos, el oleaje del río, las bocinas de los autos y las motos esperando la barcaza que los hará cruzar–, qué perfecta la latencia.

La casa es pequeña y está a media cuadra en diagonal al museo dedicado a Chico Mendes. En las paredes observa el grafiti de unas manos desenfundando un arma. Una mulata riega su jardín. Espera a que ingrese a su casa. Los faroles del alumbrado iluminan la calle.

Se acerca a la casa, la puerta cerrada. Da un rodeo. Ingresa por una ventana entreabierta de la cocina. Camina con cuidado pero es inútil, sus pasos crujen en la madera.

Alguien baja las escaleras. Cuando se asoma por el rellano lo descubre. Él levanta las manos.

–Estoy solo –dice. Hay congoja en el rostro. Las mejillas enrojecidas.

–¿Y ellos?

–No lo sé. Cruzamos a Rio Vermelho juntos y luego nos separamos. Ella... yo creo que me usó. Quería escaparse de usted y me usó.

–No mientas. Ellos están arriba.

–Piense lo que quiera.

–No se trata de lo que quiero. Se trata de lo que ella quería. Pregúntese por qué se quiso ir de esa forma. Qué vio en usted que nadie más vio.

Hace un gesto con la mano, él cree que va a sacar un revólver del bolsillo.

–Baje las manos, por favor.

El empresario maderero no le hace caso. Se le acerca, le dice que se detenga, en vano. Él cuenta hasta tres y dispara. Cae hacia atrás.

Revisa su pulso: no hay respuesta. Coloca el dorso de su mano sobre sus labios. No respira.

Primera vez que le dispara a alguien. A Tania la asustaba haciéndole escuchar el percutor del revólver a través del teléfono, pero jamás se le hubiera ocurrido usarlo.

Trata de tranquilizarse pero no es fácil. La respiración acelerada, oleadas de calor que se inician en las puntas de los pies y trepan por el cuerpo.

Se dirige al segundo piso. Busca en todos los cuartos. No hay nadie.

Más tarde, con el pueblo dormido, acercará el Passat a la casa. Cargará el cuerpo y lo pondrá en el maletero. A medio camino de Rio Vermelho lo tirará en un pastizal. Al día siguiente volverá a hablar con el detective de Interpol. Estamos buscando en Rio Branco, le dirá.

Fondo negro. Se acaba el juego. Se saca las gafas.

–Qué nervios –dice, todavía con el buzo.

Sus manos están temblando. De a poco, asoma en él la enormidad de lo que acaba de hacer: ha matado a un hombre.

–El juego continuará –dice Dunn–. Lo que al jugador le interesa es la experiencia lisérgica con la alita. Después del primer viaje viene este pedazo. Habrá otro viaje con alita para encontrar esta vez a su familia. ¿Qué te pareció Capixaba? Es mi homenaje a quienes me acogieron la primera vez que vine.

Rai se saca el buzo. Hay un momento extraño apenas uno sale de la encarnación virtual, en el que la identidad no se resuelve de inmediato y uno no termina de dejar de ser el que fue en el juego a la vez que, como en un *jet lag* espiritual, todavía no vuelve a encarnarse en uno mismo. Así está por unos minutos, en una doble alucinación, esperando que lo abandone el doctor asesino para volver a ser el psiquiatra que deambula por la vida.

Caminan en silencio rumbo a la puerta. A la salida del galpón lo sorprende la luminosidad de los objetos y el gorjeo agudo de los pájaros invisibles en los árboles.

–Doctor –le dice–, no fui a Capixaba. Tomé el otro camino.

–¿Xapuri? Pero si no se podía pasar. Lo intenté y no pude.

–A mí me dejó. Yo… yo… Esto es un infierno, doctor. ¿Se borrará?

–¿Se borrará qué, Rai?

El doctor se le acerca y él retrocede. No quiere estar cerca de él.

–Experiméntelo usted mismo, doctor. No faltarán. No, va a ser que no.

–¿No faltarán qué?

–No faltarán quienes piensen que quizás esto sea una confesión pública. Gracias a la encarnación virtual sentí que era un asesino. Que era el doctor Dunn y asesinaba a mi rival. Yo lo asesiné. Nosotros lo asesinamos.

–Estás bien mal, Rai.

Metafísica popular: *estás bien mal.* Sale una lombriz por la boca del doctor. Ha aprendido –la alita le ha enseñado– a ver cosas extrañas y aparentar normalidad. Debe aparentarla: puede que esté frente a un asesino. Y él, ¿qué es?

–En todo caso está buena la sección.

Lo acompaña a su despacho mirando de reojo si alguien viene detrás de él, quizás los de Interpol, que sospechan de sus acciones.

Está en el estudio mirándose las manos cuando aparece el nombre del doctor en el celular. Tarda en contestar. ¿No es ese su nombre?

–Ahora entiendo a qué te referías, Rai. Lo acabo de jugar, y esta vez pude ingresar a Xapuri. No sé qué decirte. Yo no programé esa parte del juego. La gente de Tupí VR no me dijo nada al respecto.

–Puede que ni ellos mismos lo sepan, doctor. ¿Doctor? Puede que hayan sido los algoritmos.

–Imposible. No son tan independientes. La red neuronal de la máquina es capaz de hacer cosas por su cuenta, pero no tanto sin el trabajo de ingenieros y diseñadores.

–Yo… usted… usted dijo que la máquina trabajaba con las probabilidades a partir de los datos con que se la alimentaba. Obviamente es algo que estaba en el aire. A usted… a mí también se me cruzó y lo descarté. Lo descartamos. Para la máquina debe de haber suficiente información como para inventar esta historia alternativa.

–No seas ridículo, Rai. Es una broma de mal gusto de los diseñadores. Se están haciendo la burla de mí. Así son estos brasileños con nosotros. Nos miran en menos.

¿Rai? Piensa: sí, Rai. Debe agarrarse de algo.

–No sé qué decirle, doctor. En efecto, no hay pruebas y esto es solo una historia. Desde el punto de vista narrativo al menos es lógica, ¿no? Lo que quisiera saber es cuánto tardará en que se me pase el efecto. Porque es una sensación, cómo le explico… cómo me explico…

–Yo creo que poco. Depende de cada uno. ¿Cómo lidias con las culpas?

–Tengo buenos mecanismos de defensa. Tenemos. Pero es que nunca llegué a este nivel. Nunca cometí un crimen.

–Quizás los cometiste y no te diste cuenta.

–¿Cómo es eso?

–Tranquilo, no estoy siendo literal. A mí me asesinaron y aquí estoy. Un muerto en vida. Haciendo cosas locas para recuperar a mis hijos, arriesgando incluso la vida de otros.

Rai no sabe qué pensar pero tiende a creer en los oráculos. En los naturales y en los tecnológicos.

Fue una Valeria agitada quien una tarde después del almuerzo habló con el doctor en el patio soleado del laboratorio. Mientras caminaban entre los árboles le contó los detalles de las incursiones filmadas de Rai y las quejas de Florencia, Cleyenne y Aimara. No dejaba de pasarse la mano por el pelo mientras se refería al *deepfake* dedicado a ella al que había tenido acceso gracias a Sánchez y en que se podía reconocer un edificio del laboratorio. Al principio Sanchez no quiso mostrárselo, pero ante la insistencia lo hizo. El doctor se asombró de lo que veía –esa chica desnuda *era* Valeria–, aunque no estaba tan seguro de que el edificio que aparecía en el video fuera parte del laboratorio. Valeria anunció que escracharía a Rai en *Mi vida no es tu porno*, la cuenta de Instagram dedicada a recibir denuncias anónimas sobre abusadores y acoso mediático. Amenazó con mencionar el nombre de la compañía. El doctor le pidió no hacer nada hasta hablar con él.

Ese mismo día por la mañana Sánchez había aparecido por la oficina de Valeria para mostrarle el segundo *deepfake* de la doctora que Rai había subido a BoliviaXXX. A la doctora, entre sorprendida y avergonzada, le costaba creer lo que veía. Era ella, sí. Sánchez trató de tranquilizarla: el video ya no está en el sitio. Luego la puso más nerviosa: de todos modos está circulando por *wasap*. La doctora quiso saber si había formas de detener la circulación. Si es viral, imposible. Solo esperar a que otro video pegue. La doctora consiguió el teléfono de un abogado paceño que se especializaba en estos casos. Trataba en vano de calmarse. Debí haber hablado con Dunn a la primera, le dijo a Sánchez antes de tirar un portazo y encerrarse en la oficina.

Dunn llama a Rai a su despacho. Mira imágenes al trasluz y tarda en reconocer su presencia. Su mirada se encuentra con la de Rai; habla de la denuncia de Valeria, dice que Sánchez y Cleyenne la han corroborado y que hablará pronto con las otras afectadas. Sus dedos tamborilean sobre la mesa abrumada de papeles.

–Tonto lo tuyo, Rai. Yesenia es la única que habla bien de ti, pero ella no es de confiar y lo sabés. Es un momento complicado, ¿no leés las noticias? En el tema estamos atrasados pero igual, la compañía no va a querer meterse en líos.

–¿Por qué no es de confiar? Reconozco que hubo conductas inapropiadas, doctor, pero no pasó a mayores. No he tocado a nadie.

–No hablemos de eso. Que no hayas tocado a nadie no te exime. ¿Qué es pasar a mayores para ti?

–Bueno, no sé. Violar a alguien.

El doctor se levanta de su sillón, camina por la oficina hasta que Rai lo pierde de vista y su voz reaparece a sus espaldas. Rai vuelve a confundirse: es mi voz, piensa.

–Sabes que no es así, Rai. Lo digital es real, no te hagas, estoy seguro de que tú más que nadie eres consciente de eso. Tenés un problema. Acéptalo y te irá mejor. Esta cultura es amable para gente como tú. Pero las cosas están cambiando.

–Que la ley me tuerza el pescuezo como a una gallina. Que me trague la tierra. Soy el doctor Dunn y no hice nada.

El doctor hace un ruido en el suelo, como si estuviera pisando algo. Rai se restriega los ojos. Este soy yo, piensa. ¿Quién?

Rai. El que vino al laboratorio a ayudar con los voluntarios. El doctor… el doctor se esfumará pronto de mí. Tiene que agarrarse a esa verdad.

–O te ha pegado fuerte o estás buscando una excusa para eludir el bulto. Todo se debe a nuestros instrumentos desajustados, Rai. Los instrumentos se pueden ajustar. Mi máquina hubiera podido ayudarte. A mí me ayudó mucho.

–¿Lo necesitaba?

–Estaba en una habitación cuando la puerta se abrió y un hombre se puso a gritarme *hija de puta*. Se me acercó, amenazante, su chompa roja, *gorda de mierda, otra vez no me contestaste*, tiró mi celular al suelo. Mi corazón a mil, mis manos sudaban. No dejaba de insultarme y yo quería escaparme, llamar a la policía.

–¿Me está contando algo que ocurrió de verdad?

–Ocurrió de verdad en la encarnación virtual. No hay diferencia. Me ayudó a ponerme en su piel. Solo que la ayuda llega tarde. La puedo aplicar con otras personas, pero con Tania… Igual no es una receta mágica.

–Y después, ¿no sintió que le habían robado información de su cerebro? ¿No le ofrecieron por internet cosas raras pero que de alguna forma tienen sentido? Y algo más pesado también, de cara al futuro, para modelar nuestra conducta, orientar nuestro voto, qué sé yo.

–Nuestros instrumentos… Uno lo intenta. Si no es la encarnación virtual, es la alita. Algo que nos saque de nosotros terminará haciendo que volvamos mejor a nosotros. Un nosotros que no es del todo nosotros. Claro que me ofrecieron cosas raras y me las siguen ofreciendo. A veces aciertan y otras no, están en período de pruebas. Es el nuevo pacto social. En procura de avances y comodidades cedemos la privacidad. Ese debería ser el punto de partida de la discusión y no el de llegada.

Rai gira el cuerpo, busca su rostro, pero él sigue moviéndose y no le es fácil situarlo. Su voz lo envuelve, impersonal. No aguanta más y se incorpora. Ahora sí, están en relativa situación de igualdad. Rai siente por un momento que es solo Rai.

–¿Por qué me contrató, doctor? Mis terapias alternativas no funcionaron. El Centro no me recomendó.

Dunn le da la espalda y se acerca a la ventana: asoman el jardín –un estallido de insectos y flores– y detrás la selva, los árboles que simulan inmovilidad pero no dejan de moverse.

–Había problemas con los voluntarios, Rai. Ataques psicóticos. Todo eso que te dijimos en la entrevista era verdad. Tupí VR insistió con que contratara a alguien. Creía que no era necesario pero tuve que hacerles caso. Como tú tenías la cabeza en otra parte, pensé que eras ideal. No necesitaba a uno eficiente.

–Bien mirado, eso quizás sea más cruel que lo mío.

Es ahí cuando Rai entiende. Se queda mirando al escritorio. En la silla aparece don Nataniel. Lleva traje blanco y salacot y sus dedos terminan en ramas. La piel verde oscura, del color de la planta. Quédese callado, Rai, susurra. Es una orden.

–Porque en realidad el experimento no salió mal, ¿no, doctor? Y pensar que tuvo la cara…

Dunn se da la vuelta y lo mira. Rai ordena sus ideas antes de hablar. De la cuenca del ojo derecho de don Nataniel sale una iguana. La piel de su cara adquiere manchas blancuzcas.

–Lo que cuenta la historia alternativa del juego es verdad. Lo he sentido en mi piel, como usted lo prometió, y eso nadie lo va a cambiar. Lo siento en mi piel. Es bueno el buzo. Usted llegó a Xapuri en busca de su mujer y sus hijos. Los encontró esa noche en que entró a la casa cerca del río. A él lo mató y se deshizo del cuerpo en un pastizal. Tania y sus hijos lograron escapar y usted nunca pudo recuperar la pista.

–No tienes ninguna prueba de lo que dices, Rai.

–Solo la de la máquina de Tupí VR. Usted me enseñó a creer en ella.

–La máquina juega con las probabilidades. Puedo ser el principal sospechoso para ella, pero que haya un 10% de probabilidades de que no lo sea es suficiente para descartar esa opción. Peor ante la ley.

–Usted me dijo que no hay que pensar en lo falso o verdadero sino en lo probable.

–Apuntamos a ese nuevo régimen de verdad. Llegaremos a él en el futuro, quizás pronto, cuando la administración algorítmica de nuestra existencia sea total. Pero todavía no estamos ahí.

Rai hace una pausa para ordenar sus argumentos, y su mente se va por unos segundos. Manu y Camila están jugando sobre la alfombra de la casa a la que se acaba de mudar con Tania. Camila le dice que no lo extraña porque está con ella incluso cuando no está. Manu quiere saber a qué dimensión se va cuando se va. Karina le pregunta si quiere ir a ver *Alien* y después a tomar helados a la plaza Colón.

–Doctor… déjeme contarle una historia. La primera vez que vine… que usted vino a Villa Rosa, en pleno duelo por la pérdida, vivió en el paraíso de Tania y mis… sus hijos gracias a la alita… vivió en la comunidad, recuperó la estabilidad emocional, las fuerzas para continuar la búsqueda. Me… se enteró de Raulito, de la esposa de Juan Gabriel Muri, de uno que otro en el pueblo afectado por el desorden… Tiempo después tuve… tuvo una gran idea gracias a la encarnación virtual. La máquina se convirtió en una excusa para lo que queríamos… quería hacer. Forzar el desorden en los voluntarios. Eso quise hacer. Si me salía, lo iba a probar luego conmigo mismo… ¿Para qué inventar a mis hijos en la máquina, para que gastar el cerebro una hora al día si los podía tener todo el tiempo delante de mí, en la alucinación infinita de la planta? Una encarnación virtual más real que la de la máquina.

–Deliras, Rai.

–Alvarenga, Cleyenne, la tarijeña, Aimara, todos. Conejillos de Indias. Las pruebas no eran para conseguir una taxonomía de la alita que alimentara el juego, todo ese rollo de los electroencefalogramas. Eran para lograr un daño cerebral que produjera el desorden. Una vez conseguida la fórmula la aplicaría luego a mí... a usted mismo, con la esperanza de que el desorden permitiera el regreso permanente de mis hijos. Otro juego con el cálculo de probabilidades.

–De verdad, Rai, te hemos perdido. Te ha pegado duro la máquina. Como si tuvieras algún tipo de daño cerebral.

–Claro que lo tengo. Se llama el desorden.

Don Nataniel se ha vuelto transparente. Su piel se pela como la de una cebolla.

–Deliro, lo sé. Pero no ahora... Tarde... Papel lamentable. Me contrató por inepto... Fui lo que usted quería que fuese.

–Eres un acosador y con una acusación falsa contra mí además –el doctor Dunn se moja los ojos con una toalla húmeda–. Vas a tener muchos problemas. Tendrás que volver a recurrir a tu madre. No creas que no escuchamos historias. Lo sabe todo el mundo. El personaje pintoresco del pueblo no es ella sino vos. Solo que esa cosa pintoresca resultó ser peligrosa. ¿Por qué te despidieron de tantos trabajos? ¿Quién te golpeó en el ojo esta vez? ¿Con qué voluntario te hiciste dar uno bueno? Nadie creerá una sola palabra tuya.

Don Nataniel ha desaparecido.

–Ya lo sé. Y la alita me quita las fuerzas para actuar. El desorden avanza en mí. Y no dejo de sentirme un asesino.

Si Rai ha sorprendido a Dunn no lo parece; su rostro se mantiene imperturbable.

–¿De verdad cree que puede domar las imágenes, doctor?

¿Qué podrá conversar con sus hijos, verlos crecer? ¿Qué volverá a tener una oportunidad con Tania, con la imagen de Tania, solo que esta vez, habiendo aprendido los trucos del empresario maderero, lo podrá hacer mejor?

–Era cierto lo que me dijo Valeria. Te pasaste de revoluciones con la alita. A este paso ni en Alto Espírito te van a recibir.

–¿No se me… le ocurrió pensar que ella quizás no se fue por él sino simplemente porque quería irse? ¿Y que escogió esa vía porque tenía miedo a mis reacciones? Quizás esté proyectando cosas en mí. Quizás Tania haya escapado cansada de las golpizas. Quizás temió por su vida.

–Sacá tus cosas del estudio, por favor. Andá buscando un buen abogado.

–Las sacaré. Y luego trataré de escapar antes de que se enteren de lo que les pasó a Alvarenga y a los demás.

El doctor se va y lo deja solo.

Epílogo

Ha llegado el doctor Joca en una *voadora*. Los chicos se le acercan corriendo cuando lo ven poner sus pies en la orilla. Las botas manchadas de barro, croa una rana saltarina. Cae la lluvia. Él está bajo el ceibo en el centro de la comunidad, las ramas extendidas como deseoso de atrapar el aire, de ofrecer su follaje para esconder a los monos y los pájaros. Desde aquí puede ver al doctor Joca, la *voadora*, los chicos. Las gotas de agua se acumulan en las hojas del ceibo y caen luego sobre su cabeza. Le gusta el ruido de la lluvia en las hojas, tump tump tump. A un costado de la explanada están los castaños, su tronco largo y escamoso que rompe con un penacho su desnudez en las alturas, y cerca del río una hilera de copaibas, que de pronto pierden color y se transparentan. El ceibo habla a través del ruido de sus hojas bajo la lluvia. A veces le dice cosas. A veces se las dice a las copaibas y otras a los castaños, un runrún su diálogo en la brisa. En sus hojas se dibujan patrones de cabezas de caballos con cuerpos, colas de lagartos peludos, moscas con ojos humanos. No ha querido correr detrás del doctor, se instalará en el dispensario junto a Simão. El doctor Joca revisará a quienes se le acerquen y repartirá diagnósticos con su letra arañada. No faltará quien lo presione para que lo deje partir. Ya no se ilusiona. Verá al doctor. Le dirá todavía no. Aberraciones perceptuales, neurotransmisores dañados, daño cerebral, lo de siempre. Se está mojando. Ceibo, tranquilo. Irá al dispensario, mejor. El chico se le acerca. Parece a punto de desvanecerse, materia frágil, colores pálidos. Le toca la cabeza, le pregunta si ha dormido bien. Mi hermana me ha despertado, dice. Sale de la protección del ceibo, la lluvia cae sobre él. La tierra se alimenta, potente, preparada para seguir girando en medio del espacio insondable. Se da la vuelta, inclina la cabeza, se despide del ceibo. Quiere aprender de él, de su intencionalidad no consciente, de su relación no propietaria con el entorno. El chico ha desaparecido. La chica se le acerca y le pregunta por su padre. Yo soy tu padre, dice él. Por fin juntos nuevamente, no sabes cómo los extrañé. Ella desaparece. Un chiquillo negro le pregunta por qué tan triste. Tengo sueño, responde. Sus ojos se entrecierran, le falta una pierna. Se apura. Siete personas delante de él en la fila del dispensario, puede ver a través de una de ellas. Una paraba desplumada deambula entre la gente picoteando sus chinelas. La larguirucha la primera en la fila. Sus tatuajes en el cuello se mueven, como si quisieran escaparse de la piel. Se da la vuelta y lo observa. Mira al suelo, avergonzado. La lluvia retumba en las hojas de motacú del techo del dispensario. Cris cris cris. Ruido más amable que el tump tump tump del ceibo. Que el plis plas del castaño. Que el zum zum del árbol de manga. Que el tak tak de la copaiba. Desaparece un brazo de la larguirucha. Junto al doctor Joca está un funcionario. Lo conoce, ha venido antes. Medio jorobado, habla un portuñol decente. Le entrega un paquete con varios sobres. ¿Sabe las nuevas? Capturaron al doctor, dice. No reacciona. Encontraron el cuerpo del maderero en un pantano en las afueras de Xapuri. El doctor también tiene el desorden, dice. ¿Qué locura, no? Matar por ¿amor? Producir daños cerebrales por ¿amor? Eso era cualquier cosa menos amor. ¿Qué se le habrá pasado por la cabeza? Un medio para un fin. Solo así se entiende. Por un momento no sabe de quién le hablan. ¿Pueden hablar de él como si no estuviera ahí? Se recupera y asienta sus pies en la tierra con firmeza, temeroso de que la gravedad lo abandone. ¿Una intencionalidad consciente?, dice. ¿Para qué? ¿Para que sus hijos estén con él todo el tiempo? Pero si mis hijos están aquí, susurra, y luego se da cuenta que está pensando cosas sin asidero. Ya le tomarán la declaración. Ya lo sabremos. Abre un sobre. Una citación, para responder a denuncias. ¿Una citación? No sirven de mucho, solo para sacar plata. Ni siquiera está legislado lo suyo. En fin. Apenas cruce la frontera nuevamente deberá presentarse a la primera delegación de policía. Se le hace que se quedará aquí para siempre. Le hace bien el aislamiento, lo aleja de las tentaciones. Y si uno no puede vencerlas, al menos las desactiva. Cuando llega su turno el doctor Joca sonríe, le pregunta cómo está. Soy un gran detective, doctor. *Acho* que sí, mueve la cabeza. Sabe que sus revisiones son un engaño, debería tener alguna máquina potente para medir lo que tiene, pero supone que no hay manera científica de probar las cosas. Quizás la compañía la tiene y la esconde. El doctor Joca le pregunta si ha vuelto a ver al Gigante y le dice que no. ¿Don Nataniel? Tampoco. ¿Aimara y Cleyenne? Vuelve a mentirle. ¿Tu hermana? Tampoco. Un fantasma imperfecto, que se niega a reaparecer. Le cuenta de su relación con el ceibo. De sus juegos con los chicos con cola de lagarto. Del buzo que tiene en su choza y en el que se enfunda por las mañanas. Sueña que ingresa al centro de la Tierra hasta que le falta oxígeno y alguien le destapa las sábanas. Las piernas del doctor desaparecen. Su boca se agranda y le dice que su situación no ha mejorado. Él le pregunta si le consiguió lo que le pidió. ¿Un celular? ¿La cámara? No, lo siento. Una araña de patas peludas se desliza por su cuello. El doctor le pide que se concentre y lo mire a los ojos. No es fácil, doctor. Lo sé, pero sin esfuerzo no habrá mejoría. ¿Está usando las gafas oscuras? Me aburren, doctor. El camino es largo, el doctor se rasca las manos, hay que tener paciencia. Sí, doctor. Sale del dispensario. La lluvia amaina.

Su madre aparece en el jardín.

–¿Qué haces ahí, hijito? Entrá, te vas a resfriar. Ponte las gafas que te recetó el doctor, te va a hacer mal tanto brillo en tus ojitos. Me olvidé decirte que mientras hacías la siesta una mujer llamó preguntando por ti. Seguro una de esas caras de plato que te gustan tanto. Raro, ¿no? Te podía haber mandado un *wasap*.

La mira sin verla. Las gotas de la lluvia caen por su rostro, mojan su polera y sus pantalones. Están ahí, a su lado, ni del todo materiales ni del todo fantasmales, Valeria con gusanos en la oreja, el cuerpo de Sánchez fundido a la cabeza de una paraba. Baja la vista e intenta concentrarse en el celular. No es fácil: se le aparecen Camila y Manu jugando borrosos en el jardín de la casa mientras Tania los llama por la ventana entreabierta.

–Me dijo que volvería a llamar. Todo rápido, le iba a preguntar su nombre y colgó.

Él abre la cámara, trata de que el celular no se moje. Se entretiene con Predictor, un nuevo modo: a partir de una lectura minuciosa del historial adivina dónde y con quién quisiera estar uno. Saca fotos sin necesidad de que uno lo haga y lo incluye a uno en ellas.

–¿Quién habrá sido, no?

En las fotos que el celular acaba de sacar está en un bar de Atlanta con su hermana, los dos sonrientes. La cámara encontró en el historial una foto de Karina cuando tenía doce años; a partir de ella proyectó su rostro y su cuerpo al presente. Está rellenita y le han aparecido líneas en la frente y las mejillas, pero no han cambiado las pecas ni la sonrisa pícara.

–No sé. La mujer mencionó algo más antes de colgar.

En modo beta la cámara saca múltiples fotos seguidas de su hermana y de él en el bar y las junta para que el algoritmo rellene los huecos y las convierta en un video. Es como un *deepfake* rudimentario. Una vez más, el futuro ha llegado. Llega todos los días.

–Dijo que a la medianoche entraras a una página de Instagram. Dijo que tú sabrías.

Deja de jugar con Predictor. No le gusta entrar a las redes, la publicidad le ofrece cosas cada vez más precisas: ayer, una colección usada de cómics del detective Martínez. Levanta la mirada. Camila le está pidiendo algo. No escucha qué. Sus manos están sucias, quisiera decirle que deje de jugar y entre a la casa, pero no lo hace.

–Okay. ¿Me vas a poder prestar la platita que te pedí?

–Ay hijo, me sales caro. La otra vez no me pagaste. Cuántas promesas rotas. Dices una cosa y luego haces lo que te da la gana. Típico Rai.

–Pues sí. Debería ser más consistente. Como tú.

–No comencemos. ¿Verás al otro doctor? Se va a ir directo al infierno el que te hizo eso. ¿Se ha sabido algo?

–La policía está tras la pista pero no sé. En la selva es fácil esconderse. Cruzas la frontera y ya estás.

–Ay, qué lío. Por no hacerme caso. Ese viaje nunca me dio buena espina. ¿Estás tomando tu remedio?

–¿Si veré al otro doctor? No sé, ¿qué me puede decir diferente? Ese remedio es muy fuerte, mamá. Es para epilépticos.

–Dicen que es lo único que funciona más o menos. Si no, habrá que pensar en otras opciones.

–Ay no, prefiero quedarme aquí aunque no pueda salir a la calle.

Su madre ingresa a la casa. Qué complicación eso del escrache en Instagram, justo ahora que él había decidido portarse bien. Tendrá que advertirle. Aunque cree que ella ha nacido preparada para estas cosas.

Serenidad y templanza. Negar y negar. Todo pasa. Además,

como le dijo al abogado ese que lo contactó, lo suyo ni siquiera está legislado.

Se levanta. Los peces voladores discurren por el jardín lluvioso. El ceibo se agita en el centro de la comunidad.

Una mujer se acerca por el sendero. Reconoce la cara adolescente, el pelo cortado al ras.

Quiere decirle algo, pero pasa a su lado y se desvanece.

Nota

La idea original de esta novela se remonta a ocho años atrás, cuando escribí "Doctor An", un cuento ambientado en un laboratorio (*Las visiones*, 2016). Recuerdo haber pensado que ese laboratorio daba para escenario de una novela. Hay ciertas conexiones entre el cuento y *La mirada de las plantas*, pero creo que son más las diferencias: se cruzaron por el camino muchos viajes a la Amazonia boliviana, experiencias maravillosas y traumáticas, algunas lecturas clave. A lo largo del libro hay frases entresacadas de esas lecturas, entre ellas las de Susan Sontag, Hilda Mundy, José Eustasio Rivera, Eduardo Viveiros de Castro, Michael Marder y Thomas Metzinger.

Las sugerencias de los lectores de las primeras versiones ayudaron a que encontrara su forma definitiva. Menciono en especial a Liliana Colanzi, Gustavo Guerrero, María José Navia, Paulo Lorca, Ramiro Sanchiz, Álvaro Bisama y Carlos Fonseca. Va también mi agradecimiento a otros grandes lectores que han apuntalado la novela: Sara Mesa, Jorge Carrión, Patricio Pron, Andrea Chapela. Jennifer Bernstein de la agencia Wylie ha sido una defensora incondicional, junto a Jackie Ko y Kristi Murray. La editorial Almadía es una gran familia para mí: Guillermo ("Memo") Quijas, Vania Reséndiz, Gustavo Cruz, Dulce Aguirre, Paty Salinas y todo el equipo.

Edmundo Paz Soldán (Bolivia, 1967) es escritor, profesor de literatura latinoamericana y director de la Facultad de Estudios Románicos en la Universidad de Cornell (Estados Unidos). Es autor de doce novelas, entre ellas *Río Fugitivo* (1998), *Norte* (2011), *Los días de la peste* (2017) y *Allá afuera hay monstruos* (2021). Es autor de seis libros de cuentos, entre ellos *Las máscaras de la nada* (1990), *Las visiones* (2016) y *La vía del futuro* (2021). Ha escrito los libros de ensayo *Alcides Arguedas y la narrativa de la nación enferma* (2013) y *Segundas oportunidades* (2015). Almadía ha publicado *Tiburón* (2018), una antología de sus cuentos. Coeditó el libro de ensayos *Bolaño salvaje* (2008). Sus obras han sido traducidas a doce idiomas y ha recibido galardones como el Premio Juan Rulfo de Cuento (1997, "Dochera") y el Premio Nacional de Novela de Bolivia (2002, *El delirio de Turing*).

Títulos en Narrativa/Almadía México

La mirada de las plantas
Edmundo Paz Soldán

Asesina íntima
El libro de los dioses
Las increíbles aventuras del asombroso Edgar Allan Poe
Mar negro
Demonia
Los niños de paja
Bernardo Esquinca

Isla partida
Daniela Tarazona

Señales distantes
Ausencio
Antonio Vásquez

Ansibles, perfiladores y otras máquinas de ingenio
Andrea Chapela

El hombre mal vestido
Lodo
El hombre nacido en Danzig
Mariana constrictor
¿Te veré en el desayuno?
Guillermo Fadanelli

Caballo fantasma
Karina Sosa Castañeda

La corazonada
Barry Gifford

150 cuentos cortos. Antología personal
Lydia Davis

Profesores, tiranos y otros pinches chamacos
Emma
El tiempo apremia
Poesía eras tú
Francisco Hinojosa

Los que hablan
Ciudad tomada
Mauricio Montiel Figueiras

Canciones mexicanas
Gonçalo M. Tavares

Las tres estaciones
Bangladesh, tal vez
Eric Nepomuceno

Tiembla
Diego Fonseca (editor)

La invención de un diario
Tedi López Mills

Planetario
Mauricio Molina

Jaulas vacías
Lobo
La sonámbula
Tras las huellas de mi olvido
Bibiana Camacho

El libro mayor de los negros
Lawrence Hill

Friquis
Latinas candentes 6
Relato del suicida
Después del derrumbe
Fernando Lobo

Nínive
Henrietta Rose-Innes

Oreja roja
Éric Chevillard

Al final del vacío
Por amor al dólar
Revólver de ojos amarillos
Cuartos para gente sola
J. M. Servín

Los últimos hijos
El cantante de muertos
Antonio Ramos Revillas

La tristeza extraordinaria del leopardo de las nieves
Joca Reiners Terron

One hit wonder
Joselo Rangel

Puerta al infierno
Stefan Kiesbye

25 minutos en el futuro. Nueva ciencia ficción norteamericana
Pepe Rojo y Bernardo Fernández, *Bef*

El fin de la lectura
Andrés Neuman

Ciudad fantasma. Relato fantástico de la Ciudad de México (XIX-XXI) I y II
Bernardo Esquinca y Vicente Quirarte

Juárez whiskey
César Silva Márquez

Tierras insólitas
Luis Jorge Boone

Cartografía de la literatura oaxaqueña actual I y II
VV. AA.

Títulos en Ensayo/Almadía México

In vitro
Isabel Zapata

Mucha Madre
VV. AA. / Andrea Fuentes (edición y prólogo)

Cascarón roto
Libro de las explicaciones
Tedi López Mills

Ää: manifiestos sobre la diversidad lingüística
Yásnaya Elena A. Gil

Malversaciones
Hernán Bravo Varela

En busca de la ayahuasca y otros desvíos
Paul Theroux

Visegrado
Karen Villeda

Mudanza
Verónica Gerber Bicecci

Un diccionario sin palabras y tres historias clínicas
Jesús Ramírez-Bermúdez

Vertebral
Jorge Fernández Granados

Curiosidad. Una historia natural
Una historia de la lectura
La ciudad de las palabras
Alberto Manguel

Árboles de largo invierno. Un ensayo sobre la humillación
La fragilidad del campamento
L. M. Oliveira

Cuando la muerte se aproxima
Arnoldo Kraus

El arte de mentir
Eusebio Ruvalcaba

Insolencia. Literatura y mundo
El idealista y el perro
En busca de un lugar habitable
Guillermo Fadanelli

La mexicanidad. Fiesta y rito
La gramática del tiempo
Leonardo da Jandra

Arte y olvido del terremoto
Ignacio Padilla

El arte de perdurar
Hugo Hiriart

Ícaro
Sergio Pitol

José Vasconcelos. La otra raza cósmica
Leonardo da Jandra y Heriberto Yépez

El imperio de la neomemoria
Heriberto Yépez

La polca de los osos
Margo Glantz

En tiempos de penuria
Jorge Pech Casanova

Posthumano. La vida después del hombre
Mauricio Bares

Ecos, reflejos y rompecabezas: lo miserable en la literatura
Marie-Claire Figueroa

Punks de boutique. Confesiones de un joven a contracorriente
Camille de Toledo

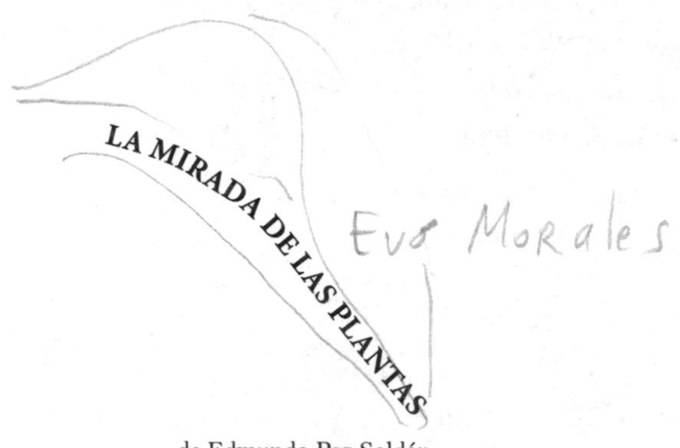

de Edmundo Paz Soldán
se terminó de
imprimir
y encuadernar
en abril de 2022,
en los talleres
de Romanyà Valls,
Plaça Verdaguer 1, Capellades,
Barcelona, España.

Para su composición tipográfica se empleó la familia Bell Centennial.
El diseño es de Alejandro Magallanes.
El cuidado de la edición estuvo a cargo de Dulce Aguirre.
La formación de los interiores la realizó Ana Paula Dávila.
La impresión de los interiores se realizó sobre papel Ivory Oria Bulk
de 80 gramos y el tiraje consta de 1500 ejemplares.